Les impatientes

DJAÏLI
AMADOU AMAL

Les impatientes

ROMAN

Le livre est paru à Yaoundé en 2017
aux éditions Proximité sous le titre
Munyal, les larmes de la patience.
C'est une nouvelle édition que nous proposons ici,
intitulée *Les impatientes.*

© Emmanuelle Collas, 2020

Cet ouvrage est une fiction inspirée de faits réels.

Munyal defan hayre.
« La patience cuit la pierre. »

Proverbe peul

À mon époux, Hamadou Baba,
à tous nos enfants,
amour et tendresse.

RAMLA

« La patience d'un cœur est en
proportion de sa grandeur. »

Proverbe arabe

I

« Patience, mes filles ! *Munyal* ! Telle est la seule valeur du mariage et de la vie. Telle est la vraie valeur de notre religion, de nos coutumes, du *pulaaku*. Intégrez-la dans votre vie future. Inscrivez-la dans votre cœur, répétez-la dans votre esprit ! *Munyal*, vous ne devrez jamais l'oublier ! » fait mon père d'une voix grave.

La tête baissée, l'émotion me submerge. Mes tantes nous ont amenées, Hindou et moi, dans l'appartement de notre père. À l'extérieur, l'effervescence de ce double mariage bat son plein. Les voitures sont déjà garées. Les belles familles attendent, impatientes. Les enfants, excités par cet air de fête, crient et dansent autour des véhicules. Nos amies et nos sœurs cadettes, inconscientes de l'angoisse dans laquelle nous sommes, se tiennent à nos côtés. Elles nous envient, rêvant du jour où elles seront aussi les reines de la fête. Les griots, accompagnés de joueurs de luth et de tambourin, sont là. Ils chantent à tue-tête des louanges en l'honneur de la famille et des nouveaux gendres.

Mon père, lui, est assis sur son canapé favori. Il sirote tranquillement un verre de thé parfumé au clou de girofle. Hayatou et Oumarou, mes oncles, sont également présents, entourés de quelques amis proches. Ces hommes sont censés nous transmettre leurs derniers conseils, nous énumérer nos futurs devoirs d'épouses puis nous dire adieu – non sans nous avoir accordé leurs bénédictions !

« *Munyal*, mes filles, car la patience est une vertu. Dieu aime les patientes, répète mon père, imperturbable. J'ai aujourd'hui achevé mon devoir de père envers vous. Je vous ai élevées, instruites, et je vous confie ce jour à des hommes responsables ! Vous êtes à présent de grandes filles – des femmes plutôt ! Vous êtes désormais mariées et devez respect et considération à vos époux. »

Je vérifie que mon manteau tombe bien autour de moi. C'est une somptueuse *alkibbare*. Je suis assise avec ma sœur Hindou aux pieds de notre père sur un tapis turc rouge vif, qui tranche avec nos robes sombres. Nous sommes entourées de nos tantes qui, désignées comme nos grandes *kamo*, assurent le rôle de demoiselles d'honneur. Comme à chaque mariage, Goggo Nenné, Goggo Diya et leurs acolytes ont toutes les peines du monde à cacher leur émotion. Seuls leurs reniflements troublent le silence. Les larmes creusent des sillons profonds sur leurs joues ridées. Sans fausse pudeur, elles affichent des yeux rougis. À travers nous, elles revivent leur propre mariage. Elles aussi ont été amenées à leur père pour un ultime au revoir et ont reçu ces conseils d'usage donnés de génération en génération à toute nouvelle mariée.

« *Munyal*, mes filles ! » dit mon oncle Hayatou. Puis il marque une pause, se racle la gorge avant d'énumérer d'un ton grave :

« Respectez vos cinq prières quotidiennes.

« Lisez le Coran afin que votre descendance soit bénie.

« Craignez votre Dieu.

« Soyez soumises à votre époux.

« Épargnez vos esprits de la diversion.

« Soyez pour lui une esclave et il vous sera captif.

« Soyez pour lui la terre et il sera votre ciel.

« Soyez pour lui un champ et il sera votre pluie.

« Soyez pour lui un lit et il sera votre case.

« Ne boudez pas.

« Ne méprisez pas un cadeau, ne le rendez pas.

« Ne soyez pas colériques.

« Ne soyez pas bavardes.

« Ne soyez pas dispersées.

« Ne suppliez pas, ne réclamez rien.

« Soyez pudiques.

« Soyez reconnaissantes.

« Soyez patientes.

« Soyez discrètes.

« Valorisez-le afin qu'il vous honore.

« Respectez sa famille et soumettez-vous à elle afin qu'elle vous soutienne.

« Aidez votre époux.

« Préservez sa fortune.

« Préservez sa dignité.

« Préservez son appétit.

« Qu'il ne s'affame jamais à cause de votre paresse, de votre mauvaise humeur ou encore à cause de votre mauvaise cuisine.

« Épargnez sa vue, son ouïe, son odorat.

« Que jamais ses yeux ne soient confrontés à ce qui est sale dans votre nourriture ou dans votre maison.

« Que jamais ses oreilles n'entendent d'obscénités ou d'insultes provenant de votre bouche.

« Que jamais son nez ne sente ce qui pue dans votre corps ou dans votre maison, qu'il ne hume que parfum et encens. »

Ses mots s'incrustent dans mon esprit. Je sens mon cœur se briser en réalisant que je suis en train de vivre mon cauchemar des jours précédents.

Jusqu'au dernier moment, naïvement, j'ai espéré un miracle qui m'épargne cette épreuve. Une rage impuissante et muette m'étrangle. Envie de tout casser, de crier, de hurler. Ma sœur ne retient plus ses larmes et sanglote. Elle suffoque. Je cherche sa main et la serre pour la réconforter. Devant sa détresse, je me sens forte malgré ma peine. Maintenant que je me sépare d'elle, Hindou me devient plus chère.

« Que jamais vos parents ne sachent ce qui est désagréable dans votre foyer, gardez secrets vos conflits conjugaux, ne cultivez pas l'aversion entre vos deux familles car vous vous réconcilierez, alors que la haine que vous sèmerez perdurera », ajoute oncle Hayatou.

Après un silence, mon père reprend sur le même ton grave et autoritaire :

« À partir de maintenant, vous appartenez chacune à votre époux et lui devez une soumission totale, instaurée par Allah. Sans sa permission, vous n'avez pas le droit de sortir ni même celui d'accourir à mon chevet ! Ainsi, et à cette seule condition, vous serez des épouses accomplies ! »

Oncle Oumarou, qui a gardé le silence jusque-là, renchérit :

« Souvenez-vous toujours que, pour rester agréable à son époux, à chaque entrevue, une femme doit se parfumer de son parfum le plus précieux, se revêtir de ses plus beaux atours, s'orner de ses bijoux – et bien plus encore ! Le paradis d'une femme se trouve aux pieds de son époux. »

Il marque une pause comme pour nous laisser le temps de méditer puis se tourne vers son cadet et conclut :

« Hayatou, fais le *do'a*, prononce la prière. Qu'Allah leur accorde le bonheur, gratifie leur nouveau foyer d'une progéniture nombreuse et leur donne la *baraka*. Enfin, qu'Allah accorde à tout père le bonheur de marier sa fille !

— *Amine !* répond mon père. Puis il s'adresse à mes tantes : Allez-y maintenant. Les voitures attendent. »

Goggo Nenné me pousse du coude. D'une voix sourde, je remercie mon père, puis mes oncles. À la surprise générale,

Hindou se jette en pleurs aux pieds de notre père, médusé, et supplie :

« S'il te plaît, Baaba, écoute-moi : je ne veux pas me marier avec lui ! S'il te plaît, laisse-moi rester ici.

— Mais qu'est-ce que tu racontes, Hindou ?

— Je n'aime pas Moubarak ! fait-elle, en sanglotant de plus belle. Je ne veux pas me marier avec lui. »

C'est à peine si mon père lance un regard sur la jeune adolescente courbée à ses pieds. Se tournant vers moi, il ordonne calmement :

« Allez-y ! Qu'Allah leur accorde le bonheur. »

Et c'est fini. Voilà tout l'adieu que je reçois de mon père que je ne reverrai probablement pas avant un an – si tout se passe normalement.

À cet instant, malgré la distance qui a toujours existé entre nous, j'aurais voulu qu'il me parle, qu'il me dise que j'allais lui manquer. J'espérais qu'il m'assurerait de son amour, qu'il me murmurerait que je serais toujours sa petite fille, que cette maison serait toujours la mienne et que j'y serais encore la bienvenue. Mais je sais que cela n'est pas possible dans la vraie vie. Nous ne sommes pas dans un des feuilletons télévisés importés qui meublaient nos rêves d'adolescentes ni dans un des romans à l'eau de rose dont nous avons fait nos délices. Nous ne sommes ni les premières ni les dernières filles que mon père et mes oncles marieront. Au contraire, ils sont plutôt contents d'avoir accompli sans faille leur devoir. Depuis notre enfance, ils n'attendent que ce moment où ils pourront enfin se décharger de leurs responsabilités en nous confiant, vierges, à un autre homme.

Mes tantes nous entraînent vers la sortie, totalement voilées. Les femmes, qui nous attendent dans la grande cour, sont si nombreuses que ma main se détache de celle de Hindou. Je ne peux lui dire un mot. Déjà, on me dirige sous les youyous vers la voiture qui m'attend. Un dernier coup d'œil, et je l'aperçois, en pleurs, désespérée. On la pousse sans ménagement dans la seconde voiture.

II

Pendant tout le trajet, selon le rituel, des cris de joie m'accompagnent. La luxueuse Mercedes noire, dans laquelle je suis assise, avance en tête, suivie de dizaines d'autres, toutes sirènes hurlantes. Le cortège fait le tour de la ville avant de s'engouffrer dans une magnifique concession, scintillant de lumières multicolores. Les sons de tam-tam, les chants des griots mêlés aux youyous des femmes et des enfants surexcités créent une incroyable cacophonie.

Une heure plus tard, ma coépouse vient me souhaiter la bienvenue. Sous mon voile, je la dévisage. Contrairement à ce que je m'étais imaginée, elle n'est pas âgée. C'est une femme à la trentaine épanouie, d'une grande beauté.

J'aurais aimé m'en faire une alliée mais le regard qu'elle pose sur moi me l'interdit. Elle semble me détester avant même de me connaître. Elle aussi est entourée des femmes de sa famille arborant des sourires de bienséance.

Deux camps se toisent, se scrutent en un duel feutré, où l'on devine une hypocrisie mielleuse.

Ma coépouse est parée telle une mariée. Un pagne étincelant, de belles tresses, les mains et les pieds ornés de tatouages au henné. Mais je sens qu'elle fait un énorme effort pour rester calme. Ses lèvres affichent un léger sourire qui ne cache pas la tristesse de ses yeux. On dit qu'elle a fait une dépression à l'annonce de ce mariage, qu'elle a passé des journées entières à pleurer. Sans doute s'est-elle ressaisie grâce au soutien de sa famille ou a-t-elle tout simplement admis que rien ni personne ne pourrait détourner son époux de ce projet de mariage, dont toute la ville a fait des gorges chaudes.

Ses yeux m'inspectent et me transpercent. Nos regards se croisent. Et la haine que je lis dans les siens me fait baisser les miens.

Ma belle-sœur la plus âgée, qui bénéficie de la considération des autres femmes, s'adresse alors à ma coépouse :

« Ma chère Safira, voici la nouvelle mariée, ton *amariya*. Son nom est Ramla. C'est ta petite sœur, ta cadette, ta fille. Sa famille te la confie. C'est à toi de l'aider désormais, en lui promulguant tes conseils, en lui montrant le fonctionnement de la concession. C'est toi la première épouse, la *daada-saaré*. Et, comme tu le sais, la *daada-saaré* est le guide de la maison, celle qui veille à l'harmonie du foyer.

« *Daada-saaré*, tu seras aussi le souffre-douleur de la maison. Tu conserveras ta place de *daada-saaré*, même s'il en épouse dix autres. Alors, un seul mot, *munyal*, patience ! Car tout relève ici de ta responsabilité. Tu es le pilier de la maison. À toi de faire des efforts, d'être endurante et conciliante. Pour cela, tu devras intégrer à jamais la maîtrise de soi, le *munyal*. Toi, Safira, la *daada-saaré*, *jiddere-saaré*, la mère, la maîtresse du foyer et le souffre-douleur de la maison ! *Munyal, munyal…* »

Elle se tourne ensuite vers moi :

« Ramla, tu es maintenant la petite sœur de Safira, sa fille, et elle est ta mère. Tu lui dois obéissance et respect. Tu te confieras à elle, lui demanderas conseil, suivras ses ordres. Tu es la cadette. Tu ne prendras pas d'initiative relative à la gestion de la concession sans l'avis de ta *daada-saaré*. C'est elle, la maîtresse de maison. Tu n'es que sa petite sœur. À toi, les tâches ingrates. Obéissance absolue, patience devant sa colère, respect ! *Munyal, munyal…* »

Nous écoutons en silence, nous contentant de secouer la tête en signe d'acquiescement. Puis Safira s'en va, accompagnée de sa famille. Les miens ne s'attardent pas non plus. Seules, les femmes qui, selon la coutume, ont été choisies pour m'accompagner dans les premiers jours du mariage, restent. Elles s'installent dans mon nouvel appartement, situé juste en face de celui de ma coépouse. Et c'est à Goggo Nenné que revient l'honneur de me conduire dans la chambre nuptiale.

III

J'ai grandi dans une maison peule, semblable à toutes les autres concessions aisées de Maroua, au nord du Cameroun. Mon père, Alhadji Boubakari, fait partie de la génération des peuls sédentarisés qui ont quitté leur village natal et se sont installés en ville, diversifiant ainsi leur activité. C'est aujourd'hui un homme d'affaires comme le sont ses frères. Cependant, il a conservé à Danki, son village d'origine, un cheptel de bœufs qu'il a confiés à des bergers encore attachés à la tradition de la transhumance. Car le bœuf fait le peul. Et ma famille ne déroge pas à la règle.

Mon père est un bel homme, la soixantaine alerte. Digne en toutes circonstances, toujours impeccablement vêtu, il porte une *gandoura* amidonnée et un bonnet assorti.

La coutume impose la retenue dans les relations entre parents et enfants au point qu'il est impossible de manifester une émotion, des sentiments. C'est ce qui explique qu'il n'est pas particulièrement proche de nous. La seule preuve que j'aie de son amour paternel est celle d'exister. Je ne sais pas si mon père m'a déjà portée dans ses bras, tenue par la main. Il a toujours gardé une distance infranchissable avec ses filles. Et il ne m'est jamais venu à l'esprit de m'en plaindre. C'était ainsi, et ça ne peut être autrement. Seuls les garçons pouvaient voir mon père plus souvent, entrer dans son appartement, manger avec lui et même, parfois, l'accompagner au marché ou à la mosquée. En revanche, ils ne pouvaient pas s'attarder à l'intérieur de la concession, qui restait le domaine des femmes. La société musulmane définit la place accordée à chacun.

Nous sommes une famille nombreuse. Mon père la tient d'une main de fer. Quatre épouses lui ont donné une trentaine d'enfants dont les aînés, en majorité des filles, sont mariés. Baaba ne supportant pas les conflits, chacune de ses épouses se garde bien de lui rapporter les petits incidents ou disputes qui ne peuvent manquer de troubler un foyer polygamique. Aussi notre grande famille évolue-t-elle dans une atmosphère apparemment harmonieuse et sereine.

Nous habitons dans ce que nous appelons au Cameroun septentrional une concession. Entourée d'une enceinte de très hauts murs, qui empêchent de voir à l'intérieur, elle abrite le domaine de mon père. Les visiteurs n'y pénètrent pas ; ils sont reçus à l'entrée dans un vestibule que, dans la tradition de l'hospitalité peule, nous nommons le *zawleru*. Derrière s'ouvre un espace immense dans lequel se dressent plusieurs bâtiments : d'abord l'imposante villa de mon père, l'homme de la famille, puis le *hangar*, une sorte de portique sous lequel on reçoit les invités, enfin les habitations des épouses où les hommes ne pénètrent pas. Pour parler à son mari, une épouse ne peut passer que par la coépouse dont c'est le tour.

Mes cinq oncles habitent dans le même quartier. Aussi, nous n'avons pas une mais six concessions. Et, si nous ajoutons à la trentaine d'enfants de mon père ceux de toute la famille réunie, nous sommes facilement plus de quatre-vingt enfants. Nous, les filles, vivons avec nos mères respectives pendant que nos frères ont leurs propres chambres à l'extérieur des appartements maternels dès la pré-adolescence. Et, bien sûr, filles et garçons ne font que se croiser, s'adressant à peine la parole.

Avec sa peau claire légèrement hâlée, ses yeux noisette et ses cheveux soyeux d'un noir intense, dans lesquels se cachent à peine quelques mèches grises, descendant jusqu'aux épaules en de belles tresses régulièrement renouvelées, ma mère est toujours une très belle femme malgré sa dizaine de grossesses. À peine la cinquantaine, avec ses formes généreuses gracieusement vêtues de pagnes de couleurs vives, elle va se déhanchant à chaque pas dans un mouvement d'une sensualité touchante. Elle est désormais la première épouse de mon père et lui est totalement soumise. Quand il lui arrive de prendre une nouvelle femme, elle lui souhaite hypocritement tout le bonheur du monde, priant que la nouvelle venue ne fasse pas long feu. Quand il en répudie une, elle affiche de la compassion et s'occupe sans faille des enfants de la malheureuse. Elle jouit d'une grande autorité auprès des femmes de la famille. Pour mon père, elle est son porte-bonheur. Dès leur mariage, ses affaires se sont améliorées. Or, dans l'imaginaire populaire, la bonne étoile d'une épouse détermine la prospérité de l'homme. Mais la considération, dont elle bénéficie, ne lui épargne pas les humeurs belliqueuses de son époux et ne lui apporte pas un meilleur traitement. Si elle a su garder sa place, cela tient simplement à sa patience. Elle a l'heureuse faculté de tout accepter, de tout supporter et, surtout, de tout oublier... ou de faire semblant !

Mais, en privé, ma mère passe son temps à ressasser son amertume. Et, aujourd'hui, plus encore que d'habitude, elle se sent amère et éprouve un terrible sentiment d'échec. De moins en moins, elle supporte les disputes et les coups bas qui animent la vie de la concession. Elle accuse à tour de rôle ses trois coépouses, dont les enfants sont d'une insolence intolérable, de hâter la fin de ses jours. Elle déplore le chômage de ses aînés, regrette les mauvais mariages de ses filles, qu'elle reproche en son for intérieur à son époux. Elle le trouve injuste mais n'a aucune envie de finir répudiée. Protection oblige !

IV

Moi, je suis différente. Je l'ai toujours été. Pour ma mère, c'est comme si j'étais une extra-terrestre. Quand mes sœurs tombaient en pâmoison devant les beaux pagnes multicolores, que l'employé principal de notre père apportait chaque année pour la fête de fin du Ramadan, et se disputaient afin de s'arracher la couleur qui leur irait le mieux, j'arrivais, bonne dernière, prenais le pagne dont généralement personne ne voulait et m'en allais d'un air ennuyé me replonger dans mes livres. Quand mes sœurs abandonnaient leurs études le plus tôt possible, sans chercher à désobéir à mon père, et quand elles acceptaient d'épouser l'homme que lui ou l'un de mes oncles avait choisi pour elles, car elles s'intéressaient davantage aux aspects matériels du mariage, les cadeaux ou le design de leur futur intérieur, je m'obstinais à aller au collège.

Et j'expliquais aux femmes de la famille mon ambition de devenir pharmacienne, ce qui les faisait rire aux éclats. Elles me traitaient de folle et vantaient les vertus du mariage et de la vie de femme au foyer.

Quand je renchérissais sur l'épanouissement qu'une femme trouverait dans le plaisir d'avoir un emploi, de conduire sa voiture, de gérer son patrimoine, elles interrompaient brutalement la conversation en me conseillant vivement de redescendre sur terre et de vivre dans la vraie vie.

Pour elles, le plus grand bonheur était de se marier à un homme riche qui les mettrait à l'abri du besoin, leur offrirait des pagnes et des bijoux, ainsi qu'une maison pleine de bibelots et de... domestiques. Une vie d'oisiveté qu'elles passeraient entre les quatre murs d'une belle concession. Car un mariage réussi se compte dans le nombre de parures en or qu'on affiche avec ostentation à la moindre opportunité festive. Et une femme heureuse se reconnaît à ses voyages à la Mecque et à Dubaï, à ses nombreux enfants et à sa belle décoration intérieure. Le meilleur époux n'est pas celui qui chérit mais celui qui protège et qui est généreux. Il est inconcevable que les choses soient autrement.

Au grand dam de ma mère, certaine que seul le mariage convenait à une femme, et dans l'indifférence totale de mon père, qui ne savait jamais rien de nos activités, je me révélais très douée.

C'était l'un des employés de mon père qui suivait nos études, du moins pour celles et ceux dont les mères avaient été assez vigilantes et ouvertes pour l'exiger. Suivre est un bien grand mot. Il se contentait seulement d'inscrire les tout-petits à l'école et d'acheter les fournitures dont nous avions besoin. Que nous passions en classe supérieure ou que nous redoublions l'indifférait complètement, comme cela était aussi égal à toute la famille. Seule la dernière conquête de mon père s'y intéressait car elle était aussi la seule à avoir pu atteindre le collège.

Mes frères et sœurs avaient tous arrêté d'aller en classe à la moindre difficulté, que ce soit une mauvaise note, un redoublement ou un désaccord avec un professeur. Et cela n'avait soulevé aucun commentaire de nos parents. C'était d'ailleurs le lot de tous les jeunes de la ville. Les garçons avaient fini par se retrouver commis dans le magasin de mon père ou celui d'un de mes oncles, où ils apprenaient le métier de commerçant sur le tas. Quant aux filles, elles restaient à la maison, s'occupant de leurs toilettes, lisant le Coran et attendant patiemment que notre père leur propose un époux. Les plus chanceuses, c'est-à-dire les plus jolies, qui avaient donc le plus de prétendants, pouvaient choisir à condition que l'élu corresponde aux normes de Baaba – évidemment.

Moi, j'ai dix-sept ans et je suis en terminale scientifique d'enseignement général. Pour l'instant, je suis la plus instruite de mes sœurs. Seul mon frère, Amadou, étudiant à l'université, est assidu dans ses études et refuse obstinément de s'engager dans le commerce parental. Mon père, en désespoir de cause, se dit qu'il en fera un érudit – ou même un fonctionnaire – et que ce sera bien d'en avoir un dans la famille.

Dans tous les collèges et les lycées de la ville, on porte un uniforme mais, comme toutes les musulmanes, je mets, par-dessus ma tenue de classe, au cas où je croise un homme de la famille sur le chemin de l'école, un pagne et je couvre ma tête d'un foulard que je range dans un sac en entrant dans le collège. Depuis le CM2, j'ai vu toutes mes amies et mes camarades de classe se marier les unes après les autres. Au cours préparatoire, nous étions une cinquantaine ; à présent, nous ne sommes plus que dix. Mais, pour moi, comme pour les autres, c'est juste une question de temps. Depuis mes treize ans, une foule de prétendants me fait la cour. Je réponds aux normes de beauté chez nous. Teint clair presque blafard, cheveux soyeux et longs, traits fins. Invariablement, quand l'un d'eux m'aborde, je lui demande d'attendre. Toujours la même réponse, comme une litanie.

« Oui, je veux bien t'épouser mais pas tout de suite ! Comprends que je vais encore au collège. Peut-être dans deux ou trois ans… »

La coutume interdit aux filles d'éconduire un prétendant. Même si l'on n'est pas intéressée, on doit quand même éviter de froisser un homme.

Invariablement, ils répliquent :

« Deux ans ! Mais tu seras vieille fille, ma jolie. À quoi te servirait d'avoir le bac ? Une fille doit avant tout se marier. Je suis trop pressé pour attendre deux ans. Tu n'y penses pas sérieusement. Alors, je peux voir ton père et demander ta main ?

— Je te prie de me laisser un peu de temps pour réfléchir.

— Ah ! Tu dis ça parce que tu ne m'aimes pas ! »

J'ai envie de crier : « Mais comment veux-tu que je t'aime ? Je ne te connais même pas. Et je ne veux même pas te connaître. »

Mais, en fille bien éduquée, qui maîtrise sur le bout des doigts son *pulaaku*, je baisse timidement les yeux et réponds :

« Mais si ! Bien sûr que je t'aime mais je veux quand même attendre un peu. »

Tout cela met invariablement ma mère hors d'elle.

« Tu es folle ou quoi, Ramla ! Tu es malade ! Si c'est ça qu'on t'apprend à l'école, eh bien, tu n'y iras plus. Qu'est-ce qu'il a encore, celui-là ? Pourquoi tu le refuses ? Quelle honte ! Quelle malédiction ! On t'a jeté un sort, ma parole ! Quel malheur ! Voilà ta petite sœur Hindou qui va se marier avant toi. Quelle honte, mon Dieu ! Tu n'as pas pitié de ta pauvre mère. Tu veux juste que ta marâtre, la mère de Hindou, me nargue encore plus. Un homme si jeune et si aisé ! Tu exagères ! Que cherches-tu exactement ? Tu as refusé les jeunes et les moins jeunes, les riches comme les fonctionnaires – et même les monogames ! Je devrais dire à ton père de s'occuper de ton cas. D'ailleurs, continue comme ça et tu n'auras même plus le loisir de choisir ton époux. Ton père ou un de tes oncles s'en chargera volontiers... »

Cela peut continuer longtemps. Ma mère n'en finit plus de se lamenter, de désespérer de me faire entendre raison.

Elle prend à témoin mes frères aînés, mes sœurs mariées. Elle se plaint à mes tantes. Et tout ce beau monde s'acharne pendant des jours et des jours pour me faire entendre raison. Le nouveau venu a toujours toutes les vertus. C'est le meilleur choix pour moi.

Mais, un jour, à la surprise générale, je n'ai pas refusé. Il s'appelait Aminou. C'était le meilleur ami de mon frère Amadou. Il venait souvent à la maison. Et nous avions sympathisé. Il était le seul garçon à qui j'adressais la parole sans subir les représailles de mes frères, qui s'étaient auto-proclamés nos surveillants. Il étudiait la télécommunication en Tunisie et espérait devenir ingénieur. Quand son père avait demandé ma main, mon père n'avait trouvé aucune raison de dire non. Ma mère était aux anges, je n'avais opposé aucune résistance. Enfin ! Et, pour moi, c'était un doux rêve. Bientôt, lui et moi, nous allions nous marier. Bientôt, dans quelques années, à l'université de Tunis, lui deviendrait ingénieur et moi, pharmacienne. Nous serions heureux. Loin de tout. Loin d'ici !

V

Mes rêves n'ont pas duré longtemps.
Quand oncle Hayatou a informé mon
père que leur plus grand partenaire dans
les affaires avait demandé ma main et
qu'il la lui avait accordée, celui-ci non
seulement s'inclina mais il le remercia
chaleureusement. En effet, Hayatou, le
plus riche de la fratrie, veillait au bien-
être de la famille et, pour cela, il était
respecté. Il ne lui serait jamais venu à
l'idée de s'opposer à une décision de
son frère concernant l'un de ses propres
enfants. Je n'étais pas que la fille de mon
père. J'étais celle de toute la famille.
Et chacun de mes oncles pouvait disposer de moi comme de son enfant. Il
était hors de question que je ne sois

pas d'accord. J'étais leur fille. J'avais été élevée selon la tradition, initiée au respect strict que je devais à mes aînés. Mes parents savaient mieux que moi ce qu'il me fallait.

Ma mère fut chargée de m'annoncer la nouvelle.

J'avais bien remarqué pendant la soirée qu'elle ruminait quelque souci. Elle attendit tard dans la nuit que la concession fût plongée dans le noir pour me réveiller doucement. Elle ne tenait pas à ce que notre conversation tombe dans des oreilles indiscrètes. Ses coépouses, rivales acharnées, n'attendaient que l'occasion de repérer ses faiblesses. Il ne fallait pas que celles-ci se doutent qu'elle ou ses enfants avait des ennuis. Il ne fallait pas non plus leur donner matière à éveiller leur jalousie, au risque de les voir se précipiter chez le marabout le plus proche afin de défaire rapidement leur nouveau bonheur.

La gravité de son visage me fit craindre le pire. Et je me levai immédiatement.

« Mère, que se passe-t-il ?

— Rien de grave, bien au contraire. Rien que du bonheur ! *Alhamdulillahi !* Ta bonne fortune se réveille. Enfin, je pourrai relever la tête avec fierté et cela, grâce à toi. Enfin, ma dignité est assurée. Mais je ne suis pas si surprise. Je savais que tu devais avoir une vie exceptionnelle.

— Quoi donc ?

— Ton oncle Hayatou a accordé ta main à un autre. Tu n'épouseras plus Aminou. Ton père te le fait savoir.

— Qui c'est ?

— Alhadji Issa ! L'homme le plus important de la ville. Tu gagnes au change. Ma seule inquiétude, c'est qu'il a déjà une épouse. J'aurais voulu t'épargner la polygamie. Moi qui en souffre tous les jours. Mais, de toute façon, si tu ne trouves pas une femme en entrant dans un foyer, tu es rattrapée par une autre, fatalement, tôt ou tard. Mieux vaut finalement en trouver une que d'en attendre une autre ! Une nouvelle qui fera pâlir d'envie et de jalousie plus d'une dans ce repaire de louves. Il me faut déjà penser à te protéger de tes sorcières de marâtres.

— Mais, Diddi, je ne le connais pas !

— Lui, il te connaît. Apparemment, il a beaucoup insisté pour t'épouser. Ton père en est très fier, tu sais ?

— Mais, j'aime Aminou ! C'est avec lui que je veux me marier.

— L'amour n'existe pas avant le mariage, Ramla. Il est temps que tu redescendes sur terre. On n'est pas chez les Blancs ici. Ni chez les Hindous. Tu comprends pourquoi ton père ne voulait pas que vous regardiez toutes ces chaînes de télé ! Tu feras ce que ton père et tes oncles te diront. D'ailleurs, as-tu le choix ? Épargne-toi des soucis inutiles, ma fille. Épargne-moi aussi, car ne te leurre pas, la moindre de tes désobéissances retombera invariablement sur ma tête. »

Elle continua longuement sur ce ton, essuyant de temps à autre ses yeux, alors que je pleurais éperdument, étouffant le bruit de mes sanglots dans l'épaisseur de mes pagnes.

« Inutile de te mettre dans cet état. Je te le répète, tu as de la chance, et moi aussi. Crois en mon expérience de femme. Tu es trop jeune pour comprendre l'importance d'une telle alliance. Dans un mariage, on ne recherche pas que l'amour. Le plus important pour une femme est d'être à l'abri du besoin. Protégée, adulée.

« Au-delà de l'homme, c'est d'abord le père de tes futurs enfants que tu dois voir en un éventuel époux. Sa noblesse, sa famille, son comportement, sa situation sociale. Essuie donc tes yeux et recouche-toi.

« Prie plutôt Allah. Il t'ouvre les meilleurs desseins. Et, surtout, garde-toi de montrer le moindre signe de déconvenue en présence des autres femmes de la famille. Si ton destin est de l'épouser, tu n'y échapperas pas. Et si ton destin est autre, là encore tu n'y peux rien changer. Tout est entre les mains du Créateur. Prions pour qu'Il t'accorde le meilleur. »

Quelques jours après cette annonce, mon oncle Hayatou me fit appeler pour que je rencontre cet homme qui m'avait apparemment aperçue lors du défilé scolaire de la fête de la jeunesse et avait décidé de faire de moi sa seconde épouse. Il prit place sans façon dans le salon de mon oncle. Vêtu d'une riche *gandoura* aux broderies tape-à-l'oeil, il incarnait l'opulence. Il n'arrêtait pas de sourire et me dévisageait sans gêne. Je m'assis loin de lui, à l'extrémité du tapis, et gardai la tête baissée. Pas une fois, je ne levai les yeux pour le regarder. Au-delà de la bonne éducation qui exigeait de moi que je me retienne, il y avait en moi ce désir de révolte refoulé. Je ne l'avais pas choisi. On ne me laissait pas le droit de l'accepter ou de le refuser. Il était donc inutile qu'il me plaise ou non. Et cette entrevue n'avait pour but que sa propre satisfaction. Qu'il puisse me contempler à son aise et confirmer ses premières impressions furtives.

Je gardai le mutisme et ne répondis pas à ses questions. Il en fallait certainement plus pour entamer sa motivation car il parlait bien pour deux !

« Ces jeunes qui te font la cour, engagea-t-il, ne sont que des voyous. Ils boivent, ils fument, ils se droguent. Au moins, avec moi, tu seras une grande dame et tu auras tout ce que tu désires. Tiens ! Je t'emmènerai à la Mecque cette année et, comme tu es aussi instruite,

tu viendras avec moi lors de mon prochain voyage en Europe. Le mariage
se fera rapidement. J'aurais voulu plus
tôt encore mais je comprends que tu
désires terminer l'année scolaire. Tu es
en Terminale, c'est très bien ! Tu es une
intellectuelle que je pourrai présenter
lors des cérémonies officielles. Tu me
feras honneur, c'est vraiment bien ! »

Il continua longtemps son monologue.
Il ne me demandait pas mon avis. Il lui
était inimaginable que je puisse ne pas
vouloir l'épouser.

Oui, c'eût été inconcevable.

Quelle fille oserait refuser un homme
aussi important ? L'affaire était entendue. Il en avait discuté avec mon oncle.
Le reste n'était que pure formalité.

VI

Mon père, gêné par la tournure des événements – il n'aimait pas manquer à la parole donnée –, informa la famille d'Aminou.

« Le destin en a décidé autrement », affirma-t-il.

Et, magnanime, il proposa à Aminou de choisir une autre de ses filles. Zaytouna ! Ma demi-sœur a juste quelques mois de moins que moi. Ou alors Jamila ! Oui, ma sœur de même mère. Elle a un an de moins et nous nous ressemblons comme deux gouttes d'eau. Pourquoi pas elle ? Ou alors n'importe laquelle des filles de mes oncles. Il y en a bien encore une dizaine à marier…

Scandalisé et fou de colère, Aminou rejeta fermement la proposition d'échange. Accompagné de son ami Amadou, aussi déçu que lui, il insista pour voir notre père et le convaincre de revenir sur sa décision.

Dès que celui-ci aperçut les jeunes gens, il grimaça, agacé, puis les apostropha :

« Dis-moi, Aminou. Voilà des jours que tu me harcèles – avec la complicité de mon propre fils de surcroît. Je t'ai déjà dit ce que j'ai à te dire. Penses-tu que c'est en te comportant ainsi que je changerai d'avis ? Je t'ai suggéré de choisir une autre de mes filles. Dis-moi celle que tu voudras avant que je ne change définitivement d'avis. Tu fais honte à ton père et à toute ta famille.

— Je ne veux aucune autre de vos filles. J'ai demandé la main de Ramla et vous me l'avez accordée. Je n'ai rien fait de mal pour que vous repreniez votre parole.

— Mon frère avait déjà accordé sa main à un autre. Dis-toi tout simplement que le destin en a décidé ainsi.

— Je m'étais entendu avec Ramla.

— Ramla est une fille. Et elle est bien élevée. Elle se mariera avec qui on lui dira.

— Mais enfin, Baaba, coupa Amadou. Le monde a changé ! Les filles ont le droit…

— Fous-moi le camp, petit insolent ! Je te vois venir toi aussi. Fais attention à toi, Amadou ! Ça ne tourne pas rond dans ton esprit pour que tu me parles des droits des femmes ! Où est passée ta pudeur ? Ta bonne éducation ? Que veux-tu m'apprendre ? De plus, tu oses me contredire ! Quelle impolitesse ! Quelle impudence ! Dégagez tous les deux à présent. Ça suffit ces bêtises. Toi, Aminou, mets-toi ça une bonne fois pour toutes dans la tête. Tu n'épouseras pas Ramla. Oublie-la à tout jamais ! »

Les jeunes gens, soutenus par quelques camarades, manifestèrent bruyamment dans toute la ville, scandant que le vieux devait avoir honte de disputer la fiancée promise à un plus jeune. Ils firent tant de bruit que mon oncle Hayatou se fâcha et envoya les plus agités en cellule pour calmer leurs ardeurs. Furieux du comportement d'Amadou, qui avait osé le défier publiquement, craignant que toute cette agitation ne froisse Alhadji Issa et inquiet de la tournure des événements, mon père convoqua mes oncles Hayatou et Moussa, et il me fit asseoir en leur présence au salon, à même le tapis, à côté de ma mère, qui avait été convoquée elle aussi.

Consciente qu'elle n'était pas conviée pour une partie de plaisir, ma mère était si angoissée qu'elle semblait retenir son souffle, les lèvres pincées. Mon père, majestueux sur son canapé, d'une froideur implacable, nous dévisagea toutes les deux longuement avant de s'adresser à ma génitrice avec arrogance :

« Dadiyel, je ne te connais pas insoumise. D'où vient-il que ton fils ose me faire honte dans toute la ville ? Et ta fille ? Il paraît qu'elle dit haut et fort aimer son petit voyou ? J'espère que je me trompe, Ramla. »

Je ne dis mot et baissai les yeux. Mais je me mis à pleurer en silence. Il continua :

« Oseras-tu me défier, fille de rien ? Oseras-tu humilier mon frère pour sa magnanimité de t'avoir trouvé un homme qu'au fond tu ne mérites pas ? fit-il, en

54

haussant la voix, très en colère. Voilà le résultat de laisser des filles trop long-temps sur les bancs de l'école. Elles se sentent pousser des ailes et se mêlent de tout. Le mariage n'est pas qu'une question de sentiment. Au contraire. C'est d'abord, et avant tout, l'alliance de deux familles. C'est aussi une question d'honneur, de responsabilité, de religion – et j'en passe. »

Mon père avait toutes les peines du monde à masquer sa colère. Il avait bien marié une dizaine de filles sans accroc. Alors, ma révolte, quoique discrète, l'irritait profondément. Une exaspération d'autant plus grande que les enjeux de ce mariage allaient au-delà d'une simple union maritale. Il continua à l'attention de ma mère :

« Si jamais ta fille ou ton fils prononce encore un seul mot de travers, je te répu-die. Non ! Sur la tête de mes frères ici présents, je te répudierai plutôt trois fois qu'une[1]. Je pense avoir été plus que patient jusqu'ici. Est-ce que c'est clair ?

---

1. Répudier une femme à trois reprises entérine définitivement le divorce sans possibilité de re-cours.

— Je t'en conjure, Alhadji, ce n'est vraiment pas ma faute. J'ai parlé aux enfants autant que j'ai pu. Ils ne m'écoutent pas, tout simplement. »

Mon oncle, très tendu, se leva et renchérit :

« S'ils n'écoutent pas leur mère, c'est que ce sont des enfants maudits. Ramla, si jamais une seule parole négative à l'encontre d'Alhadji Issa franchit tes lèvres, je viendrai moi-même t'apprendre la pudeur et la retenue qui conviennent à une fille bien élevée. Espèce de petite ingrate. As-tu déjà manqué de quelque chose ? Qui t'a inscrite à l'école ? Tu ne te rends même pas compte qu'à cause de ton comportement et de celui de tes voyous d'amis, tu mets en péril mes affaires et celles de ton père. Toi qu'on disait intelligente. Tu veux que les impôts nous tombent dessus si cet homme politique se fâche ? Tu veux que ce principal fournisseur refuse de nous livrer ? Tu veux peut-être même nous voir ruinés ?

— Non ! fis-je d'une voix à peine audible, sentant mes convictions se dérober.

56

— Alors, je te somme de te comporter en fille digne. Je t'envoie ce soir mon employé avec quelques albums de meubles à choisir. J'espère que tu sauras coopérer et prendre les plus belles choses pour ta future maison. Je ne veux pas que tu aies triste mine devant ta future coépouse. C'est moi qui t'offre tous les meubles de ton mariage. Maintenant tu peux y aller. »

Je sortis sans un mot, laissant ma mère recroquevillée dans un coin. Derrière moi, j'entendais mon père et mon oncle lui adresser des semonces. Désormais, elle paierait le moindre de nos faux pas. C'était le pire chantage qu'ils pouvaient faire à mon frère Amadou et à moi. Échec et mat ! C'était fini ! Je l'avais compris.

Aminou s'enfonça dans la déprime. Il ne mangeait plus, ne se lavait plus et traînait à longueur de journée une mélancolie qui n'en finissait plus. Effrayé à l'idée que son fils puisse perdre la raison, son père le renvoya en Tunisie. Quant à Amadou, on le somma de se taire une bonne fois pour toutes, sous peine de retourner en cellule et, cette fois, pas pour une journée. De toutes les manières, il n'aurait pas pu se risquer à faire répudier notre mère. Nous sommes en effet témoins tous les jours des injustices que subissent nos frères, dont les mères sont répudiées, pour ne pas mettre nos plus jeunes frères consanguins dans la même situation. C'était fini. Aminou était parti. Et je suis restée. Seule devant la perspective d'un mariage avec un inconnu. Seule avec mon angoisse. Seule avec mes larmes. Il ne me restait plus qu'à pleurer mes illusions perdues. Et ma mère ne cachait plus sa rancœur à l'encontre d'Aminou, qui avait non seulement détourné du droit chemin son fils, mais aussi dérangé l'esprit de sa fille. Elle lui inventait tous les défauts. C'était un coureur de jupons et, forcément, il buvait et fumait. Du coup, Alhadji Issa possédait toutes les qualités. Il était riche, j'aurais tout ce que je désirerais. C'était un politicien, je serais respectée et considérée. Il était plus âgé, je le manipulerais d'autant mieux. Il avait une femme et des enfants, il serait plus sérieux. À longueur de journée, je n'entendais plus parler que de mon prochain mariage. J'étais harcelée de toutes parts. Jamais de toute ma vie, je n'ai été aussi seule. L'étau se resserrait autour de moi. Personne ne prenait la peine de me demander si j'étais heureuse ou malheureuse. La seule chose qui leur importait, c'était cette cérémonie extraordinaire, qui devait aller avec tout mariage digne de ce nom. L'excitation gagnait tous les quartiers de la ville. J'étais la nouvelle coqueluche de Maroua. La plus convoitée des filles. J'étais parvenue à rendre fou d'amour un homme réputé pour sa richesse, sa rigueur et son exigence envers les femmes. J'avais même réussi le double exploit de le rendre polygame, cet inconditionnel monogame. Et, plus spectaculaire encore, j'avais pu le distraire de cette épouse farouche et possessive qui, selon la rumeur, était une cliente fidèle de tous les marabouts de la ville et même de plus loin encore. Bref, je passais pour une héroïne !

En catimini, les femmes de la famille me parlaient du mariage comme d'un devoir auquel on ne pouvait échapper. Et si, par malheur, il m'arrivait encore d'évoquer l'amour, elles me traitaient de folle, me disaient que j'étais égoïste et puérile, que je manquais de cœur et n'avais pas le sens de la dignité. J'étais belle, ce n'était pas à moi de courir vers mon futur mari. C'était plutôt à lui de tout faire pour me mériter. Ma tante me répétait tous les jours :

« N'épouse pas qui tu aimes. Épouse celui qui t'aime si tu veux être heureuse ! »

Plus personne ne me menaçait. Tout était dit désormais. On attendait de moi que je sois digne et que je me plie à nos traditions. Je n'étais même plus un problème. Je devais obéir tout simplement. Ni mon père et encore moins mon oncle ne pensèrent à me dire autre chose. Ils avaient tout simplement fixé une date. La date qui devait m'enchaîner à vie.

C'est Goggo Nenné qui m'en informa.

Je n'ai pas pleuré, je n'ai pas riposté. J'étais déjà morte à l'intérieur. J'avais de la chance, me dit-elle en souriant. Elle était déjà très longue, la liste des prétendants que j'avais éconduits. J'avais failli finir vieille fille ! C'est dans l'ordre des choses que le père choisisse l'époux de sa fille. Cela s'était passé ainsi pour mes six grandes sœurs, pour mes cousines, pour ma mère et même pour elle, ma tante. Je n'étais pas différente ! Je devais marcher dignement comme toutes les autres avant moi. Une fois encore, j'avais de la chance. On me laissait le temps de me présenter à mon examen. On me laissait la chance d'avoir un diplôme, même s'il ne servirait à rien. Au moins aurais-je la vanité de me dire diplômée. Le mariage aurait lieu immédiatement après l'examen. J'avais de la chance ! Mon père et mon fiancé tenaient compte de mes ambitions. J'avais vraiment de la chance, répéta ma tante Nenné.

La date de mon mariage fut fixée pour les prochaines vacances, le même jour que celui de ma sœur Hindou avec Moubarak, notre cousin. En attendant, je pouvais continuer d'aller au collège et de préparer mon examen.

VII

La date du mariage fixée, je traînais à longueur de journée une lassitude et un mutisme dont rien ni personne ne pouvait venir à bout. Je ne mangeais plus, je ne riais plus. Je maigrissais à vue d'œil. Et c'est sans conviction que j'ai passé mon examen et dans une totale indifférence que j'ai appris mon succès.

Les préparatifs du mariage ont alors commencé. Une femme est venue spécialement du Tchad, aux frais de mon fiancé. Elle a commencé par m'épiler complètement à la cire. Matin et soir, elle recouvre mon corps entier de *dilké*. À base de pommes de terre, de riz, d'huile et de parfums capiteux, cette pâte noire et humide à l'odeur tenace sert de gommage. Après une demi-heure de pause, elle me masse longuement avant de m'enduire tout le corps d'une huile végétale parfumée au clou de girofle et jaunie au curcuma. Dans un autre contexte, je prendrais plaisir à ces soins.

Ensuite, la femme a mis de la braise dans un récipient, l'a recouvert de morceaux de bois d'acacia réservés à cet usage, et m'a obligée à m'encenser durant une heure. Recouverte d'une épaisse couverture, je transpire énormément dans la chaleur horrible de ce sauna improvisé, qui est censé rendre ma peau plus lumineuse et mon teint plus clair. Un rituel hérité du Soudan via le Tchad. Séquestrée dans la chambre de ma mère, je dois rester cachée. Mon esthéticienne, très joviale, me flatte sans cesse :

« Vraiment Ramla, quelle beauté ! Ta peau est de plus en plus douce. Et ton corps embaume. Même ta sueur pendant des mois continuera à sentir le bois d'acacia et de santal. Alhadji Issa ne pourra résister, tu verras. Il t'offrira tout

ce qu'une femme peut désirer. Ta coépouse aura de la peine à te faire concur-
rence ! Si elle trouve même le courage
de rester. Oui, ma fille, c'est moi qui
te le dis. Crois-en mon expérience ! Il
sera comme un jouet entre tes mains.
Tu seras heureuse ! »

Je ne réponds pas. Que puis-je dire à
cette étrangère qui me considère comme
la huitième merveille du monde ? Pour
qui épouser un homme aisé est le sum-
mum du bonheur ? Comment lui faire
comprendre sans la blesser que je me
fiche de cet homme ?

La veille du mariage, elle achève son
travail en passant une journée entière
à tatouer sur mes bras, mes jambes,
mon buste et même le dos, des motifs
au henné noir. Sur ma peau claire, les
dessins sombres offrent un bel effet. Elle
ne manque pas ici et là d'ajouter les initiales de mon futur promis !

Elle n'est pas la seule à me préparer
au mariage, mon père y participe aussi
– d'une autre manière. Il apporte, pour
mon bain, des écorces censées me protéger du mauvais œil, des *gaadé* suppo-
sés me donner du charme, des feuilles

à encenser pour me protéger des djinns. Il invite des marabouts à écrire des milliers de versets coraniques sur des planchettes, qu'on lave ensuite. Et je bois cette eau bénite sous la stricte surveillance de ma mère, afin de me rendre agréable à cet époux dont je ne veux pas et de me protéger de cette coépouse qu'on m'impose.

Deux jours avant la date fatidique, je tente un dernier recours auprès de ma mère venue me tenir compagnie :

« Diddi, si vous m'obligez à l'épouser, je me suiciderai !

— Si tu te suicides, tu iras droit en enfer et, si tu continues à faire la tête, je te jure que je ferai une crise. Je vais mourir – et ce sera de ta faute. Au mieux, je serai répudiée. C'est ce que tu veux ? Si encore il ne s'agissait que de moi. Mais tes petits frères ? Tes petites sœurs ? Ils sont trop jeunes pour vivre sans protecteur dans ce repaire de loups. Es-tu prête à les sacrifier juste pour ton soi-disant bonheur ? On ne t'envoie pas en enfer, Ramla. Bien au contraire. Tu vas épouser un homme auprès duquel tu ne manqueras jamais de quoi te nourrir, de quoi t'habiller et tu auras plus de biens que tu ne pourras en désirer. Regarde ta demi-sœur, Maïmouna. Son époux peine à assurer le nécessaire et elle doit encore attendre que votre père la nourrisse et l'habille. C'est ça que tu veux vivre ? Jamais je ne te laisserai affronter la pauvreté.

— Tu ne me comprends pas, Mère ! Je voulais dire... »

Elle m'interrompt d'un geste de la main, baissant encore plus la voix. Un pli sévère barre son front encore lisse.

« Tu dois savoir une fois pour toutes que tes décisions n'influencent pas que ta vie. Grandis, nom de Dieu ! Cela s'est passé de la même manière pour moi, pour tes tantes, pour toutes les femmes de la famille. Que veux-tu prouver ? Déjà, tes jeunes sœurs risquent de ne plus être inscrites à l'école par ta faute. Tu as réussi à donner une idée négative de l'instruction par ton comportement. Ressaisis-toi, Ramla. Estime-toi heureuse de ton sort et remercie plutôt Allah de ne pas te donner pire destin. Préfères-tu épouser ton cousin Moubarak, ce voyou ?

— Bien sûr que non ! dis-je d'une petite voix.

— Parce que crois-moi, la mère d'Hindou, elle, serait prête à tout pour que ce soit sa fille qui devienne la femme d'Alhadji Issa. Pourquoi veux-tu à tout prix m'humilier ?

— Je ne pourrai jamais t'humilier, Diddi. Tu ne m'as pas comprise. Je dois accepter ce mariage, tout le monde me le dit. Mais moi, ce que je ressens ne compte pas ? Qui est-ce qui se soucie de moi ? Je ne veux pas me marier. Je voulais continuer mes études.

— Tu as déjà terminé tes études. Tu ne serais pas en train de te marier que tu serais restée à la maison. Jamais ton père n'aurait permis que tu ailles à l'université. Ni ici ni encore moins ailleurs.

— C'est aussi pour cela que j'avais accepté d'épouser Aminou. Avec lui, j'aurais pu continuer, et je l'aime.

— Alors ton amour est impuissant et inutile car il n'est plus réciproque, fait-elle impitoyablement. Arrête tes caprices une fois pour toutes sinon je me désolidarise de toi ! N'as-tu pas de dignité,

Ramla ? Où as-tu perdu le sens de l'honneur qu'on t'a inculqué ?

— Qu'est-ce que tu en sais si Aminou m'aime ou pas ?

Elle éclate d'un rire triste :

— S'il t'aime, comme tu veux le croire, alors dis-moi une chose ! Où est-il ? »

VIII

La veille du mariage, Alhadji Issa envoya des dizaines de sacs de noix de cola et de cartons de bonbons et de friandises en vue de la cérémonie, qu'on appelle le *tégal*. Je ne dormais plus du tout. Je n'arrêtais pas de retourner les mêmes images dans ma tête. Le plus difficile serait d'oublier Aminou. Y parviendrais-je un jour ? Et avais-je réellement envie de l'oublier ? Son souvenir était vivace et doux. Je me sentais seule. Ma mère, si elle avait conscience de mon désarroi, se disait que tout cela n'était qu'enfantillage et que, dès que je serais mariée, je serais plutôt heureuse de mon sort. Mais il fallait surtout que je comprenne que c'était mon destin et

« face au destin, on ne pouvait rien »,
affirmait-elle. Ne serais-je pas bientôt
l'épouse d'un des hommes les plus riches
de la ville ?

Oui, c'était un destin comme en rêve-
rait toute mère. Un destin à faire pâlir
de jalousie toutes les coépouses de ma
mère ! Il suffisait de se rappeler les
lueurs de convoitise de mes marâtres et
de mes demi-sœurs à la vue de la voiture
flambant neuve que mon fiancé m'avait
offerte un soir comme premier cadeau
de mariage.

L'anxiété me tenaillait. Je n'arrivais
pas à tenir en place. J'étouffais. J'avais
tellement pleuré que mes yeux avaient
rougi, et mes paupières enflé. Ce désespoir silencieux n'avait pas ému ma mère
ni mes tantes. Toutes avaient pleuré à
leur mariage. Les larmes d'une jeune
épouse ne reflètent que sa nostalgie
d'une jeunesse envolée, d'une innocence
achevée et des responsabilités à venir.
Elles n'expriment que son attachement à
sa famille et la peur au moment d'entrer
dans une demeure étrangère.

Tard dans la nuit, fatiguée de ressasser
mon amertume, j'éprouvai subitement

le besoin de sortir de cette chambre austère. J'avais envie de voir la lune, de contempler les étoiles. Je les reverrai certainement de là où je serai, mais auront-elles toujours le même éclat ? Et l'air ? Sera-t-il toujours aussi pur ? Et le doux fredonnement du vent léger entre les feuilles de nimier ? Sera-t-il aussi chargé de senteurs fraîches et délicates ? Et le sable sera-t-il toujours aussi doux sous mes pieds ?

Toute la maison dormait. Ma mère avait fini par s'écrouler sur le petit matelas du salon, terrassée par la fatigue. Plusieurs femmes passaient cette nuit à la maison. Certaines dormaient à même le tapis. De peur de les réveiller et surtout qu'elles ne me surprennent et ne me retiennent, je les enjambai silencieusement.

Comment profiter de ces dernières heures de liberté ? Et dire que, le lendemain, à la même heure, je devrais partager le lit d'un inconnu... Un homme qui laisserait courir ses mains sur ma peau préparée pour son bon plaisir, lorgnerait les tatouages destinés à le séduire, humerait les parfums d'encens et aurait le droit de me posséder entièrement, alors que je ne l'aime pas et que j'en aime un autre. Comment accepter que je quitterais ma maison et ma famille pour appartenir à une autre ?

Et si au moins tout cela finissait demain ! Mais le mariage ne se réduit pas à la cérémonie, il dure toute une vie.

La nuit était calme, fraîche pour la saison, et le ciel parsemé de milliers d'étoiles. La lune illuminait la ville, et l'on voyait comme en plein jour. J'aurais voulu une nuit noire, aussi effrayante que cette angoisse qui m'enserrait la gorge et me nouait l'estomac. C'était fini, je ne pourrais plus jamais sortir quand je le désirerais, jamais finir mes études, c'en est terminé de mes rêves d'université. Prisonnière dans une cage de luxe, je ne pourrais jamais être pharmacienne.

Jamais je n'avais été aussi seule.

Au moment où je regagnais la cour commune, j'aperçus Hindou. Elle se tenait devant l'appartement de sa mère.

Nous n'avons jamais été aussi proches que devraient l'être des sœurs, même si nous sommes nées la même année et avons été inscrites à l'école ensemble. Les premières années d'innocence, elle avait été ma meilleure amie. Mais, au fur et à mesure que nous grandissions, nous avons pris chacune fait et cause pour nos mères respectives dans les querelles qui les opposaient sans cesse.

Mais, ce jour-là, nous partagions le même destin. Et Hindou relâcha sa défiance à mon égard. Tourmentée, elle leva vers moi son visage assombri par de larges cernes, qui trahissaient des nuits blanches répétées. Elle me fit un signe de la main et m'entraîna dehors dans la grande cuisine. D'énormes marmites de sauce à la viande mijotaient sur des braises, prélude au festin de la matinée qui s'annonçait. L'endroit était encore calme car l'aube pointait à peine. Hindou frissonna malgré la chaleur qui régnait, frotta ses mains l'une contre l'autre et les approcha du foyer. Me tournant le dos, elle demanda d'une voix sourde :

« Alors ? Qu'est-ce que ça te fait de te marier aujourd'hui ? Tu as peur ?

— Je suis triste. Pourquoi cette question ? Tu as peur, toi ? »

Elle se retourna vers moi et, à ma grande stupéfaction, un torrent de larmes jaillit de ses yeux. Préoccupée par mon propre sort, je ne m'étais pas attardée sur la situation de ma sœur. Je pensais qu'elle s'était accordée avec son fiancé, qui n'était autre que le fils de notre oncle Moussa. Je croyais qu'elle était amoureuse de lui et, de toutes les manières, il me semblait qu'elle était plus chanceuse que moi.

Moubarak avait à peine vingt-deux ans et n'était pas laid. Bien au contraire !

« J'ai peur de lui, murmura-t-elle.

— Peur ? Mais pourquoi ?

— N'es-tu pas au courant du problème qu'il a eu avant que son père ne demande ma main pour lui ? »

Moubarak était tombé dans l'alcool et ne s'en cachait pas. Il suffisait de sentir son haleine fétide pour savoir à quoi s'en tenir. Depuis quelque temps, il ne sortait plus le matin. On ne l'apercevait que l'après-midi ou le soir. Il ignorait son père depuis que ce dernier avait refusé de lui donner un capital pour se lancer dans le commerce des chaussures à Douala. Mon oncle se méfiait des négoces sur le littoral et il lui avait déjà donné ce capital il y a quelques années, lorsque Moubarak avait voulu se lancer dans le commerce du bois comme son oncle Yougouda. Tout avait été dépensé dans les filles, les boîtes et les fringues. Pire, non seulement il était devenu alcoolique, mais il s'était mis à se droguer au Tramadol, un puissant antalgique qui faisait ravage dans la population de Maroua. Toutes ces rumeurs demeurèrent sans conséquence jusqu'au jour où Moubarak, totalement ivre, abusa de la jeune domestique de sa mère. Sans défense, l'adolescente fut purement et simplement renvoyée dans son village avec, pour seule compensation, un billet de cinq mille francs. Quant à Moubarak, son père décida qu'il était grand temps pour lui de fonder une famille. Il ne chercha pas très loin : Hindou était en âge de se marier et, dans la famille, on admirait son caractère tranquille et soumis. Cela tombait bien ! Son calme pourrait canaliser le trop plein d'énergie de Moubarak. Les pères des deux jeunes entérinèrent leurs décisions sans consulter les protagonistes.

Hindou continua :

« Un jour, il m'a entraînée dans sa chambre et a voulu m'embrasser !

— Quoi ? fis-je, scandalisée. Et qu'as-tu fait ? poursuivis-je fébrilement.

— Je l'ai repoussé bien sûr, mais il me tirait par le bras. Alors, je l'ai mordu jusqu'au sang et ai réussi à m'enfuir, mais il a promis de s'occuper de moi lors de la nuit de noces. Oh mon Dieu, Ramla, j'ai si peur de lui !

— Tu n'en as pas parlé à ta mère ?

— Que veux-tu que je lui dise ? Ce n'est pas un sujet qu'on évoque avec sa mère, tu le sais. »

Hindou sanglotait. Je me sentais désarmée devant une telle détresse.

« Ramla, je préférerais épouser cet Alhadji Issa que Moubarak. C'est un voyou. J'ai peur de lui ! Tu en as de la chance, toi. »

La maison déjà se réveillait. Il était temps de nous préparer pour la journée la plus importante de notre vie.

IX

Quand les invités se furent rassemblés, l'imam entra, tenant une planche où étaient inscrits les derniers versets du Coran. Il fit répéter le texte sacré à Hindou, puis à moi. Toutes les femmes qui nous entouraient pleuraient. Chacune revivait, à travers nous, sa propre angoisse et ses désillusions, ce que je ne compris que des années plus tard. Quand le marabout ressortit, une fois sa mission terminée, un griot se leva et se mit à déclamer à trois reprises d'une voix stridente :

« Ô Illustres personnes ! C'est Alhadji Issa, fils d'Alhadji Hamadou, qui épouse Ramla, fille d'Alhadji Boubakari. Le montant de la dot est de dix têtes de bœufs, déjà données et non à crédit. Nous avons tous entendu ! Soyez-en témoins. Dieu fasse que ce soit un bonheur ! »

Après une courte prière, mon mariage fut scellé.

Celui de Hindou suivit quelques minutes plus tard sur le même rituel.

« Ô Illustres personnes ! Un autre *tégal*. C'est Moubarak, fils d'Alhadji Moussa, qui épouse Hindou, fille d'Alhadji Boubakari. Le montant de la dot est de deux cent mille francs, déjà donnés et non à crédit. Nous avons tous entendu ! Soyez-en témoins. Dieu fasse que ce soit un bonheur. Et qu'Il leur accorde à tous une descendance bénie et une immense richesse. »

Puis ce fut la fête avec des dizaines de chevaux, des griots, qui chantaient nos louanges au son des tambours, des danses, autour d'un banquet gargantuesque.

Exclues de toutes ces réjouissances, les femmes écoutaient de l'intérieur de leurs appartements, essayant de deviner les pas de danses ou les paroles des chansons. Dans la chambre, où Hindou et moi passions la journée en attendant le grand départ, les jeunes filles du collège et de la famille écoutaient la musique et dansaient. Hindou affichait une sérénité, qui me surprit, et même un léger sourire. De temps à autre, je croisais son regard. On aurait pu croire qu'elle était une mariée heureuse, et je l'admirais pour sa maîtrise. De mon côté, j'étais sidérée. Comment est-ce possible ? Être mariée à un homme de cinquante ans, moi qui, à dix-sept ans, était la fille la plus belle, la plus intelligente, la plus rieuse de la ville ?

Ô mon père ! Je ne peux comprendre. Tes affaires sont florissantes comme celles de mon oncle, alors pourquoi me sacrifier à une cupidité toujours plus grande ? Il y a tellement de filles dans la famille, dont plusieurs seraient heureuses de prendre ma place, alors, pourquoi moi ?

Ô mon père ! Tu as tellement d'enfants mais c'est commode d'avoir des filles. On peut s'en débarrasser si facilement.

Ô mon père ! Tu dis connaître l'islam sur le bout des doigts. Tu nous obliges à être voilées, à accomplir nos prières, à respecter nos traditions, alors, pourquoi ignores-tu délibérément ce précepte du Prophète qui stipule que le consentement d'une fille à son mariage est obligatoire ?

Ô mon père ! Ton orgueil et tes intérêts passeront toujours avant. Tes épouses et tes enfants ne sont que des pions sur l'échiquier de ta vie, au service de tes ambitions personnelles.

Ô mon père ! Ton respect de la tradition est au-dessus de nos volontés et de nos désirs, peu importe les souffrances que causeront tes décisions.

Ô mon père, nous as-tu jamais aimées ? Oui, diras-tu, et tu fais tout cela pour notre bien. Car, jeunes filles, que savons-nous de la vie ? Comment pourrions-nous choisir notre époux ?

Mais, si tu estimes que nous en sommes incapables, c'est que peut-être, nous n'avons pas encore l'âge de nous marier.

Ô mon père ! Je le comprends, nous habitons une ville hostile au changement, où il faut se conformer à la tradition, mais est-ce la seule raison de ton choix ? As-tu pu imaginer un seul instant que toi aussi, tu pourrais te tromper ?

Ô mon père ! Je ne peux même pas t'en vouloir. Je suis une fille pour mon plus grand malheur. Je ne pourrai jamais, comme un garçon, me réfugier un jour dans ton giron ou pleurer sur ton épaule. Cela ne se fait pas. Une fille ne peut se rapprocher de son père, une fille ne peut embrasser son père.

Ses yeux ne trahissaient aucune nostalgie, aucun regret. Malgré mon amertume, j'aurais aimé y lire de l'affection, maintenant que l'heure de le quitter était arrivée. J'aurais voulu lui crier mes sentiments.

Et toi, ma mère ! Par souci de sécurité et par orgueil, tu m'as sacrifiée. Tu veux faire de moi une femme riche. Tu veux me voir au volant d'une voiture, tu veux que je sois adulée et respectée. Tu veux tenir la dragée haute à tes coépouses et tu as misé sur moi. Tu m'aimes, tu m'admires. Je suis ta fille et je suis parfaite. Avec ou contre mon gré, je dois être parfaite et enviée.

Ô ma mère ! Je t'en veux. Tu m'aimes, certes ! Mais tu m'as mal aimée. Tu n'as pas pu me comprendre ni me défendre. Tu n'as pas entendu mon cri de détresse.

Tu m'as jetée en pâture. Mais tu restes ma mère. La personne que j'aime le plus au monde.

Ô ma mère ! Je culpabilise de te faire de la peine. J'ai toujours essayé d'être celle que tu rêvais que je sois. Jamais je n'ai réussi. Tu aimais comparer le calme de Hindou et ma turbulence. Tu es arrivée à faire de moi une complexée et une insatisfaite.

Je devais être la meilleure, la plus intelligente, la plus jolie. Je devais être ton rêve. Ta fille ! Ton espoir ! Tu m'as toujours répété que j'étais la cause indirecte de tes souffrances mais aussi de tes joies. Tu es restée là pour moi. Je devais faire en sorte que, jamais, tu ne le regrettes.

Ô ma mère ! Que c'est dur d'être une fille, de toujours donner le bon exemple, de toujours obéir, de toujours se maîtriser, de toujours patienter !

Ô ma mère, je t'aime tellement mais je t'en veux aujourd'hui.

Ô ma mère, ressaisis-toi ! Regarde-moi. Ai-je l'air heureuse comme le doit être toute mariée ?

84

Et toi, mère, es-tu heureuse comme la mère d'une mariée ? Pourquoi ces larmes que tu essuies parfois ? Pourquoi ce maquillage outrageux aujourd'hui, toi qui ne te maquilles jamais ? Pourquoi ces yeux rouges derrière le khôl noir ?

Le soir, mes tantes ont préparé l'eau qui devait, selon la coutume, servir à notre toilette. Elles y ont ajouté quelques pincées de henné, du parfum et des noix de cola. Ensuite, elles nous ont habillées d'un pagne riche et étincelant, nous ont maquillées légèrement et nous ont mis des bijoux en or. Elles nous ont aspergées de parfum et, enfin, nous ont couvertes de grands manteaux noirs brodés et décorés de pierres brillantes. Une capuche nous recouvrit entièrement le visage.

Je cherchais ma mère du regard mais elle était invisible comme l'était aussi celle de Hindou. Dans un instant, nos tantes nous amèneraient dans l'appartement de notre père, d'où nous ne sortirions que pour entrer dans les voitures qui nous attendaient.

Nos mères respectives choisirent de ne pas nous dire au revoir. Était-ce pour mieux cacher leurs larmes et leur détresse ?

X

Les conseils d'usage, qu'un père donne à sa fille au moment du mariage et, par ricochet, à toutes les femmes présentes, on les connaissait déjà par cœur. Ils ne se résumaient qu'à une seule et unique recommandation : soyez soumises !

Accepter tout de nos époux. Il a toujours raison, il a tous les droits et nous, tous les devoirs. Si le mariage est une réussite, le mérite reviendra à notre obéissance, à notre bon caractère, à nos compromis ; si c'est un échec, ce sera de notre seule faute. Et la conséquence de notre mauvais comportement, de notre caractère exécrable, de notre manque de retenue. Pour conclure, patience, *munyal* face aux épreuves, à la douleur, aux peines.

« *Alhamdulillah* ! » dit mon père.

Il est connu qu'une fille peut conduire son père en enfer. On dit que chaque pas d'une fille pubère non mariée est comptabilisé dans le grand livre de comptes et inscrit comme péché pour son père. Chaque goutte de sang impur d'une adolescente encore célibataire précipite son père en enfer.

« *Alhamdulillah* ! »

On sait que le pire des péchés pour un père est la fornication de sa fille. Un vrai croyant doit s'épargner la colère d'Allah. Sa fille se mariera le plus tôt possible afin d'éviter les pires tourments à son père.

« *Alhamdulillah* ! »

Mon père sera épargné. Il a marié ses filles selon la bienséance. Il s'est acquitté d'un devoir divin. Élever des filles et les conduire vierges jusqu'à leurs protecteurs choisis par Dieu. Il s'est défait d'une lourde responsabilité.

Désormais, ses filles ne lui appartiennent plus.

« *Alhamdulillah* ! »

Mon père peut à présent dormir sur ses deux oreilles. Il a su remplir honorablement la mission difficile que lui a confiée Allah, en lui accordant des filles.

Désespérée, j'éclate en sanglots, sous le regard indifférent de mon père. Ma tante Nenné me fait signe et m'emmène dehors. Les membres de ma belle-famille, couverts d'or et de pagnes précieux, se tiennent près de luxueuses voitures et trépignent d'impatience. Ma tante me tire par le bras, réajuste la capuche qui recouvre mon visage et m'installe dans une Mercedes. Je jette un coup d'œil à Hindou. Ma tante Diya est en train de la pousser vers une voiture flamboyante, décapotable et ornée de rubans. Plusieurs mobylettes sont stationnées à l'extérieur, elles sont chargées de l'accompagner avec le plus de bruit possible.

Durant tout le trajet, je pleure. J'ai envie de hurler aux curieux qui, agglutinés au bord de la route, saluent par des cris le cortège nuptial :

« Sauvez-moi, je vous en supplie, on me vole mon bonheur et ma jeunesse ! On me sépare à jamais de l'homme que j'aime. On m'impose une vie dont je ne veux pas. Sauvez-moi, je vous en conjure, je ne suis pas heureuse comme vous voulez le croire ! Sauvez-moi, avant que je ne devienne à jamais l'une de ces ombres cachées à l'intérieur d'une concession. Sauvez-moi avant que je ne dépérisse entre quatre murs, captive. Sauvez-moi, je vous en supplie, on m'arrache mes rêves, mes espoirs. On me dérobe ma vie. »

HINDOU

« Au bout de la patience,
il y a le ciel. »

Proverbe africain

I

« Patience, mes filles ! *Munyal !* Intégrez-la dans votre vie future Inscrivez-la dans votre cœur, répétez-la dans votre esprit. *Munyal !* Telle est la seule valeur du mariage et de la vie. Telle est la vraie valeur de notre religion, de nos coutumes, du *pulaaku*. *Munyal*, vous ne devrez jamais l'oublier. *Munyal*, mes filles ! Car la patience est une vertu.

— Dieu aime les personnes patientes », dit mon père.

Je n'ai pas attendu d'être mariée pour suivre ce conseil de mon père. J'ai toujours entendu ce fameux *munyal*. Que de préjudices subis ! Je me demande quand j'ai entendu ce mot pour la première fois. Probablement dès ma naissance. On avait alors dû me chantonner : « Patience, *munyal*, mon bébé ! Tu viens dans un monde fait de douleurs. Petite fille, si jeune et si impatiente ! Tu es une fille. Alors, *munyal* toute ta vie. Commence dès à présent ! Il est court le temps du bonheur pour une femme. Patience, ma fille, dès maintenant... »

Ma main cherche celle de ma sœur Ramla, s'y accroche fermement mais le temps des conseils que doit nous prodiguer notre père avant de nous laisser partir arrive à sa fin. Mes tantes m'entraînent déjà vers la sortie.

À cette minute ultime, j'aurais voulu me réfugier sous le lit de ma mère. J'aurais voulu me raccrocher à elle jusqu'à la fin de mes jours. J'aurais voulu ramper aux pieds de mon père au mépris de cette patience tant conseillée, n'écoutant alors que ma terreur, pour le supplier de bien vouloir renoncer à ce mariage et j'aurais donné jusqu'à mon dernier souffle pour entendre mon père dire simplement : « Tu es trop jeune. Moubarak devra attendre. »

Peine perdue ! Je suis mariée. À Moubarak, ce cousin que j'ai toujours vu mais jamais connu. Il habite à quelques pas de chez nous. Sans doute a-t-il dû m'appeler son esclave ou son épouse quand j'étais petite. Je le voyais depuis toujours, il était presque mon frère. Je suis mariée à Moubarak, et j'appartiens désormais à la concession de mon oncle Moussa.

En vérité, j'ai toujours appartenu à la concession de l'oncle Moussa. La solidité des liens familiaux faisait de chacun de mes oncles un second père. La maison de chacun d'eux était la mienne, et je pouvais non seulement y aller autant que je le désirais mais je pouvais même y vivre sans avoir à requérir l'autorisation de mes parents. Mais, ce soir, on m'a amenée chez oncle Moussa non pas comme une fille, mais comme une bru. Ô mon père, pourquoi moi ? Te serait-il venu à l'esprit que je pourrais ne pas être d'accord ? Et que j'en avais le droit ? Je n'aime pas Moubarak. Pire, je le déteste.

Avant, quand on était plus jeune, il m'était complètement indifférent. Il n'était qu'un de mes cousins, un parmi

95

les dizaines de cousins que j'avais. Il n'était ni bon ni mauvais, ni meilleur ni pire. Jusqu'au jour où il a commencé à boire et à prendre de la drogue, et a fini par franchir le Rubicon en violant la domestique de sa mère. Dès lors, il est devenu le pire de tous. Mais c'était sans compter le jour où ma mère m'a annoncé que je lui avais été promise.

La concession d'oncle Moussa est l'exemple même d'une polygamie chaotique. Depuis toujours, on entend toutes sortes de scandales. Les coépouses, rivales acharnées, qui en viennent aux mains, les adolescents frustrés qui se querellent à armes blanches entre frères, des filles répudiées et remariées, des accusations de maraboutage, de sorcellerie, de drogue ou d'alcool. Autoritaire, mon oncle vit au milieu de sa concession avec une telle arrogance et une telle distance qu'il est toujours le dernier informé sur ce qui se passe au sein de sa famille. Dès qu'il entre chez lui, le silence se fait immédiatement. Même ses épouses semblent n'avoir aucune intimité avec lui. Chacune essaie de protéger sa progéniture comme elle le peut.

Malgré sa sévérité, oncle Moussa a de plus en plus de mal à se faire respecter de ses fils aînés. Tous ceux qui ont raté leurs études n'arrivent pas à s'en sortir et traînent à longueur de journée sans autre perspective d'avenir que celle d'hériter un jour. L'atmosphère de la concession est de plus en plus pesante. Oncle Moussa se réfugie de plus en plus à la mosquée ou dans sa boutique, où il doit se montrer extrêmement vigilant car ses enfants n'hésitent pas à le voler à la moindre occasion.

J'ai commencé à haïr Moubarak le jour où, le rencontrant par hasard alors que je rendais visite à ma meilleure amie, sa sœur, il m'a apostrophée :

« Eh Hindou, ma future femme, tu viens rendre visite à ton fiancé ?

— Bien sûr que non ! Qu'est-ce que tu racontes ?

— Allez viens là ! Viens qu'on consomme les fiançailles à défaut de consommer déjà le mariage. »

Moubarak m'a alors entraînée vers sa chambre. Je me suis débattue pour qu'il me lâche mais il a commencé à m'embrasser sans vergogne.

Je l'ai mordu violemment, écœurée par son odeur fétide. Il sentait l'alcool. Profitant d'un instant d'inattention, je me suis échappée. Il était fou de rage et jurait :

« Espèce de petite peste ! Tu m'as mordu mais tu verras. Tu ne perds rien pour attendre. »

Depuis ce jour, je l'ai évité et, s'il arrivait que je le rencontre par hasard, il me saluait, souriant puis, avec un clin d'œil de malice, il me rappelait qu'il était impatient de m'épouser. J'étais de plus en plus mal à l'aise et, au fil des jours, mon malaise s'est transformé en panique. J'appréhende mon mariage et surtout la nuit de noces.

Ramla me serre la main, cherchant à me communiquer un peu de sa force et de son courage.

Déjà, mon père conclut :

« Qu'Allah vous accorde le bonheur, gratifie votre foyer d'une progéniture nombreuse et de beaucoup de *baraka*. Allez-y ! »

Alors je perds toute contenance et me laisse tomber au sol, en sanglots. Mon père ne dit mot tandis que ma tante

Diya s'évertue à me relever et m'oblige à sortir.

Sortant de ma réserve et à la surprise générale, je crie à mon père, médusé :

« S'il te plaît, Baaba, je ne veux pas me marier avec Moubarak ! S'il te plaît, laisse-moi rester ici.

— Mais qu'est-ce-que tu racontes, Hindou ?

— Je n'aime pas Moubarak. Je ne veux pas me marier avec lui. »

Je sanglote de plus belle. Mes tantes retiennent leurs souffles, surprises par mon désespoir et par la scène que je suis en train de faire à mon père, moi qu'on citait en exemple pour mon calme et ma docilité. Elles ont peur de la réaction de leur frère. Mais, contre toute attente, mon père se contente de secouer la tête, puis donne l'ordre à ses sœurs d'y aller.

Alors, je me mets à crier, à pleurer, et je refuse obstinément de sortir. Dans ma terreur de me marier avec l'homme que l'on m'impose, je n'ai plus ni honneur ni dignité.

« S'il te plaît, mon père, s'il te plaît, je n'aime pas Moubarak, je ne veux pas me marier avec lui. »

Je le supplie, sanglote de plus belle et m'accroche de toutes mes forces à un canapé.

« Allez-y », fait à nouveau mon père, toujours calme. Avec beaucoup de peine, Goggo Diya m'arrache de là où je me suis réfugiée et me pousse vers la sortie, tout en essayant de me réconforter. Toutes les mariées pleurent en quittant la concession parentale. Je suis juste plus sensible que les autres. Il n'y a pas de quoi en faire un drame.

« S'il te plaît, Baaba, je t'en supplie, je ne veux pas de lui. J'accepterai n'importe qui mais pas lui... »

Je continue à me débattre et j'arrive à m'échapper des bras de ma tante. Je tombe aux pieds de mon père.

« S'il te plaît, mon père, pour l'amour d'Allah, ne m'oblige pas à y aller !

— Ça suffit ces enfantillages, fait alors mon oncle d'un sourire sarcastique. Tu me déçois beaucoup, Hindou. Toi qu'on disait si sage. En vérité, tu n'as rien compris de tous les conseils qu'on vient de te donner. Allez-y, Diya ! Voilà suffisamment de scandale. »

Sanglotant toujours, j'obtempère quand les femmes me font sortir de force. Aidée par une cousine, Goggo Diya me pousse avec fermeté vers la voiture qui démarra en trombe, comme pressée de fendre la foule. On entend les klaxons et les youyous des filles entassées dans les autres véhicules. Bien que la maison conjugale occupe un pan de la concession d'oncle Moussa et se trouve donc à quelques pas de chez mon père, Moubarak tient à ce que son mariage ne passe pas inaperçu. Toutes sirènes hurlantes, il se lance à la tête du cortège auquel prennent part des dizaines de motos et de voitures, et fait le tour de la ville.

II

Je n'ai pas attendu longtemps !
Moubarak, au mépris de cette tradition
qui veut que le jeune marié se fasse
reconduire chez lui par ses amis très tard
dans la nuit, quand toute la maisonnée
dort, et qu'il soit le plus discret possible,
ne tarde pas à rejoindre la chambre, laissant les autres festoyer devant la cour,
assis sur des tapis, sirotant thé et café,
bavardant bruyamment.

Les femmes, qui m'ont accompagnée
dorment dans mon appartement, construit,
en même temps que celui de Moubarak à
l'angle droit de la concession. Une odeur
de peinture fraîche imprègne les lieux,
masquant tant bien que mal un relent
de bouse de vaches car, avant qu'oncle

Moussa décide d'y bâtir quatre appartements en prévision de deux mariages, dont le mien, l'endroit a longtemps servi de parc à bétail. On a simplement déversé du sable provenant du cours d'eau voisin pour disperser l'odeur et rendre l'espace propre à la construction.

Dès qu'il entre dans la chambre, sans même un regard vers moi, Moubarak met de la musique. Assise sur le tapis, dans le coin le plus obscur, je me recroqueville le plus possible. Ma crise de larmes m'a fatiguée et complètement abattue. Je sens ma gorge, étranglée par l'angoisse.

« Tiens, tiens ! Voilà ma cousine et épouse chérie ! Tu viens ? On va consommer le mariage vite fait. Je t'avais bien dit que cette journée arriverait rapidement.

— S'il te plaît…

— Arrête tes niaiseries et déshabille-toi vite ! Je déteste les femmes pudiques. »

Au comble de la terreur, je sais que rien ne se passe normalement. Moubarak n'a pas seulement bu. Il a aussi avalé des comprimés de Tramadol associés à du Viagra. Un cocktail qui lui est familier, comme chez beaucoup de jeunes ici.

On en trouve à tous les coins de rue, aussi bien chez l'épicier du quartier que chez les vendeurs ambulants. Le soir des noces, les hommes n'hésitent pas à avaler des drogues pour se revigorer, s'assurer une certaine endurance et une virilité à la mesure de leur ardeur requinquée.

« Déshabille-toi. Tu es ridicule sous tes voiles.

— Je t'en supplie...

— Tu veux jouer ? D'accord on va le faire. C'est même mieux que tu résistes un peu. Je me ferai un plaisir de te dénuder. »

Il monte le son de la musique, puis commence à se déshabiller tranquillement. Je recule encore plus dans le coin. J'ai tellement peur que je claque des dents et tremble comme une feuille. Il s'assied sur le lit, me jette un regard sans complaisance et lance :

« Alors ? Tu viens de ton propre gré ou tu préfères que je vienne te chercher ?

— S'il te plaît... »

Il se lève brusquement et, d'un mouvement imprévisible, me jette brutalement sur le lit et arrache mes vêtements. Je me défends autant que je le peux. Quand il

déchire mon corsage, je le mords farouchement. Il retire sa main d'où perlent
des gouttes de sang. Furieux, il se met à
me frapper. Je crie, je me débats, quand
un coup violent m'assomme, et je tombe
en travers du lit.

Quelques heures plus tard, je n'ai plus
de force pour crier ni de larmes à verser. Le silence règne dans la chambre.
J'ai tellement crié, tellement pleuré et
supplié que je n'ai plus de voix. Je me
ramasse sur le lit, meurtrie, le corps cou-
vert d'ecchymoses et d'hématomes. Je
saigne tellement que le lit en est trempé.
J'ai très mal. J'essaie de me lever.

Moubarak, qui dort à côté de moi, se
réveille aussitôt et me regarde d'un air
narquois.

« Bien dormi, chère cousine ? Heu,
que dis-je, chère épouse ! Ne bouge surtout pas, j'arrive.

— Non, s'il te plaît !

— Tu recommences encore tes fadaises,
on dirait ?

— Pardon, je suis blessée. J'ai mal.

— Mais non ! C'est normal. »

Il considéra le lit d'un air dégoûté et me tire vers le sol. Je tombe brutalement et me mets à crier. Il me bâillonne d'une main.

« Il est très tôt. Les gens dorment encore. Tais-toi ! Tu as suffisamment fait de bruit hier soir. Je n'aurais jamais cru que tu pouvais être aussi poltronne. Ne dira-t-on pas que je t'ai tuée ? Cette fois, tu la fermes ! »

Il abuse encore de moi. La douleur est si vive que je tombe dans une bienveillante inconscience.

Personne ne fut scandalisé par mon état. Ce n'était pas un crime ! Moubarak avait tous les droits sur moi et il n'avait fait que se conformer à ses devoirs conjugaux. Il avait certes été un peu brutal mais c'était un jeune homme en bonne santé et viril. En plus, j'étais belle comme un cœur ! Il ne pouvait que perdre la tête face à tant de charmes. Il était surtout très amoureux ! Je méritais aussi des félicitations car j'avais su me garder pure. Je n'avais pas déshonoré ma famille.

Ce n'est pas un crime ! C'est un acte légitime ! Le devoir conjugal. Ce n'est pas un péché. Bien au contraire. Que ce soit pour moi ou pour Moubarak, c'est un bienfait accordé par Allah.

Ce n'est pas un viol. C'est une preuve d'amour. On conseilla tout de même à Moubarak de refréner ses ardeurs vu les points de suture que ma blessure nécessita. On me consola. C'est ça, le mariage. La prochaine fois, ça ira mieux. Et puis, c'est ça la patience, le *munyal* dont on parlait justement. Une femme passe par plusieurs étapes douloureuses de sa vie. Ce qui s'était produit en faisait partie. Il ne me restait qu'à prendre des bouillies agrémentées de natron, ainsi que des bains chauds afin d'accélérer mon rétablissement.

Le devoir conjugal ! On me cita un *hadith* du Prophète : *Malheur à une femme qui met en colère son mari, et heureuse est la femme dont l'époux est content d'elle !* Je ferais mieux d'apprendre tout de suite à satisfaire mon époux.

Le médecin ne s'en formalisa pas non plus. Ce n'était pas un viol. Tout s'était déroulé normalement. Je suis juste une nouvelle mariée plus sensible que les autres. Mon mari est jeune et amoureux ! C'est légitime qu'il soit ardent ! C'est habituel que ça se passe ainsi. D'ailleurs, qui a osé évoquer le mot « viol » ? Le viol n'existe pas dans le mariage.

Goggo Diya m'a avoué plus tard qu'elle avait eu honte de moi tant j'avais crié : tout le monde avait dû m'entendre. À l'hôpital, j'avais continué à hurler pendant qu'on me posait les points de suture. J'avais été impudique. Elle était tellement embarrassée pendant ma nuit de noces qu'elle avait failli s'en aller. Même mon père et mon beau-père avaient dû savoir que mon mari me touchait ! Quelle honte ! Quelle impudeur ! Quelle vulgarité ! Ce moment était secret. Comment allais-je désormais affronter le regard des autres ? Quel manque de courage, de *munyal !* Quel manque de *semteende*, de retenue ! Où était passé le *pulaaku* qu'on m'avait toujours inculqué ? Un Peul meurt comme un mouton en se taisant et non en bêlant comme une chèvre. C'était de ma faute si j'avais souffert plus que les autres. Si je m'étais laissé faire, je n'aurais pas eu à subir

109

tout ça ! Tiens, Goggo Nenné lui avait raconté que Ramla était aussi pure que moi mais que personne n'avait entendu le son de sa voix.

Je me tus. Je n'avais plus rien à dire.

Mes tantes s'empressèrent de mitonner le *bassissé*, une bouillie de riz, de lait et de beurre. On la distribue à toute la famille et en particulier aux jeunes filles pour leur montrer que, moi, Hindou, j'avais su rester vierge jusqu'au mariage. Une manière de les exhorter à faire de même.

Ainsi a-t-on soigné mon corps mais pas mon esprit. Personne n'a pensé qu'il existait en moi des blessures plus profondes et plus douloureuses. On me répéta qu'il ne s'était rien passé de dramatique. Juste un fait banal. Rien d'autre qu'une nuit de noces traumatisante. Mais toutes les nuits de noces ne sont-elles pas traumatisantes ? On me dit aussi que je n'avais rien compris aux conseils de mon père.

Je dois soumission à mon époux !

Je dois épargner mon esprit de la diversion !

Je dois être son esclave afin qu'il me soit captif !

Je dois être sa terre afin qu'il soit mon ciel !

Je dois être son champ afin qu'il soit ma pluie !

Je dois être son lit afin qu'il soit ma case !

Au lendemain de la cérémonie du mariage, chacun est rentré chez soi pendant que je m'installais dans ma nouvelle vie. Moubarak refréna un peu ses ardeurs mais il n'eut pas un mot de regret. Rien ne s'était passé. N'étions-nous pas mariés ?

III

Les jours et les nuits se succédaient et se ressemblaient dans la monotonie de la grande concession de mon oncle. Je respectais les habitudes familiales, immuables depuis des lustres.

Mon oncle était devenu mon beau-père. Et je devais soigneusement l'éviter, me déchausser avant de passer à côté de lui, baisser les yeux et fléchir le genou pour le saluer. Et je devais garder mon voile sur la tête en la présence de ma tante, devenue ma belle-mère. Je ne pouvais ni boire ni manger devant elle. Il me fallait éviter aussi de parler, de bavarder ou de rire. Mon cousin Moubarak était devenu mon époux. Je lui devais soumission et respect.

Je me levais tôt au chant du coq pour la première prière quotidienne. Toute la maisonnée se réveillait à la même heure et chacun avait une tâche bien définie. Les femmes, quand elles n'étaient pas attelées aux corvées de cuisine, nettoyaient leur appartement. Des jeunes filles, employées comme domestiques balayaient les espaces communs. Les enfants, qu'ils soient scolarisés ou non, commençaient leurs journées par la lecture du Coran sous la surveillance d'un maître-marabout – excepté le jeudi et le vendredi, jours du week-end islamique.

Oncle Moussa veillait personnellement à ce que tout le monde soit debout à l'aube et n'hésitait pas à toquer à la porte des récalcitrants. *La chance appartient à ceux qui se lèvent tôt, ne pas respecter cette vérité apportera de la malchance voire une terrible calamité !* tempêtait-il.

Pour la cuisine, nous, les quatre épouses de mon oncle, celles de mes cousins et moi-même, avions à faire des rondes. Le *defande*, le tour de cuisine, pour chacune durait vingt-quatre heures : il commençait par le repas du soir et se terminait après le déjeuner du

114

lendemain. Si nos belles-mères nous laissaient préparer les repas, elles se chargeaient de la répartition des plats pour chaque groupe de la famille. Il s'agissait surtout d'éviter que notre manque d'expérience ne nous fasse commettre des erreurs de distribution. Le plat le plus important, destiné aux hommes, était servi au *zawleru*, puis celui des femmes, enfin celui des enfants par genre et par catégorie d'âge. Chaque bru avait aussi pour devoir d'aider sa belle-mère quand c'était le tour de celle-ci. Généralement, elle finissait par la remplacer pour tous les travaux domestiques.

Le menu manquait d'originalité, il n'était pas diététique et ne changeait pas – ou si peu. Oncle Moussa faisait égorger des moutons, des poulets ou un bœuf. L'essentiel était conservé au congélateur, tandis que certaines parties étaient frites ou séchées. Nous consommions de la viande à chaque repas. À la sauce tomate, braisée, bouillie ou aux légumes. Le riz était la céréale la plus consommée, remplacée parfois par du mil rouge, du sorgho ou du maïs. On commençait habituellement la journée par du riz à

115

la sauce de viande, en buvant soit du lait de vache trait le jour même, soit de la bouillie au lait caillé agrémentée de pâte d'arachide. Il y avait aussi du café ou du thé préparé chaque matin et que l'on conservait toute la journée dans de grands thermos. Seuls les hommes pouvaient prétendre aux beignets ou aux pains, car si ces denrées avaient été destinées à toute la maisonnée, composée de plus d'une vingtaine d'adultes et de dizaines d'enfants, cela aurait représenté un énorme budget, que mon oncle ne jugeait pas utile d'assurer.

Nous n'avions pas le droit de nous servir seules. C'était la *daada-saaré*, la première épouse de mon oncle, qui se chargeait de nous donner ce que nous devions préparer, tout en tenant compte de la visite impromptue de membres de la famille éloignée ou de simples connaissances. Quand elle était absente ou indisposée, c'était la seconde épouse qui prenait la responsabilité de la concession.

Le soir, les hommes dînaient à part. Un cuisinier, engagé par mon oncle, préparait un repas spécialement pour eux, plus varié et plus riche que celui des femmes. À côté de l'incontournable boule de couscous et de sa sauce de légumes, ils avaient droit généralement à des frites de pommes de terre ou de plantain, bien sûr de la viande mais aussi du poisson braisé, de la bouillie, de la salade, sans oublier le thé ou le café.

Pendant ce temps, nous, les femmes, mangions aussi ensemble. Il n'était pas possible que l'une d'entre nous choisisse de dîner seule ni surtout d'avoir un plat spécifique. Si j'avais une envie particulière, j'appelais ma mère qui, discrètement, me faisait parvenir le plat en question, ou alors je demandais à Moubarak si c'était possible – les jours où il était de bonne humeur, évidemment !

Nous passions beaucoup de temps entre femmes pour travailler dans le grand *hangar*, placé devant les appartements de nos belles-mères, qui servait alors de lieu commun à toutes les femmes de la maison. C'est là que l'on bavardait, décortiquait les arachides ou coupait les légumes, que l'on tressait ou dessinait, pendant des heures, sur nos mains et nos pieds, des tatouages au henné. Nous pouvions aussi regarder la télévision mais uniquement les chaînes arabes. Car, un jour qu'il avait surpris ses épouses absorbées dans une série où les baisers occupaient l'essentiel du scénario, oncle Moussa avait interdit les chaînes occidentales et africaines. Fou de rage, il avait aussitôt fait appeler un technicien à qui il avait demandé de crypter ce qu'il désignait comme les « chaînes du diable ». L'homme avait quand même réussi à nous laisser l'accès aux films bollywoodiens, dont les histoires d'amour romantiques nous enchantaient lorsque le maître des lieux était absent. Mais, dès qu'il rentrait, la seule chaîne qu'on entendait redevenait celle de la Mecque – la voix des imams.

Moubarak, lui, ne se gênait pas pour regarder tout ce dont il avait envie. Il disposait d'un câble et accédait à toutes les chaînes occidentales disponibles. Il possédait aussi un lecteur DVD et n'hésitait pas à se procurer des CD classés X. Ce fut pour lui un nouvel accessoire qu'il dénicha pour mieux me tourmenter. Car il m'obligeait à reproduire les scènes qu'il regardait. C'était l'occasion de m'insulter, de me blesser en relatant ses multiples aventures qu'il me mettait au défi de raconter à toute la famille, sachant bien que je ne pourrais pas le faire, puisque, selon la tradition, on ne parle jamais de sexe ni de tout ce qui s'y apparente.

Au fil du temps, je découvrais en Moubarak un homme imprévisible, qui pouvait être d'une agressivité sans bornes mais aussi d'une sensibilité à fleur de peau.

Je sentais en lui de nombreuses blessures et une frustration incommensurable qu'il masquait par un grand mépris des convenances. Mais il lui arrivait d'afficher une relative bonne humeur. Il pouvait alors se montrer charmant et la vie à ses côtés se révélait supportable. Ces jours-là, il redoublait de prévenance à mon égard, me parlait gentiment, et on pouvait discuter pendant des heures. Il m'invitait à sortir le soir à l'insu des autres membres de la famille, et nous faisions de longues promenades et rendions visite à ses amis. Parfois, il m'expliquait ses projets de commerce et me confiait ses déboires face à son père qui refusait de l'aider à les financer. Je me surprenais à éprouver alors de la sympathie pour lui.

Mais, dans ses mauvais jours, Moubarak affichait une humeur massacrante. Il boudait, m'adressant à peine la parole ou se fâchant contre moi au moindre prétexte. Ces jours-là, j'avais tout intérêt à me faire aussi discrète que possible. Heureusement il passait beaucoup de temps dans sa chambre, en avalant des comprimés, et il ne sortait qu'à la nuit tombée. Quand il rentrait très tard, il était ivre à mourir. Même si nous avions chacun une chambre, je devais le rejoindre le soir pour partager sa couche. Mais, les nuits d'ébriété, je m'enfermais dans ma chambre pour ne pas me soumettre à cette disposition conjugale de peur de subir ses mauvais traitements.

Mais, un soir, il rentra vers deux heures du matin et tambourina à ma porte. J'ignorai sa présence, feignant un sommeil profond. Il insista de plus belle.

— Hindou, ouvre ! Tu n'as pas le droit de déserter la chambre conjugale. Ouvre sinon je casse tout, et alors tu verras...

Il faisait tellement de bruit que j'eus peur qu'il ne réveillât la maison. J'avais surtout peur qu'il ne mette sa menace à exécution. Je m'habillai aussitôt. À peine avais-je ouvert la porte que je reçus un coup de poing dans l'œil droit.

« Voilà pour t'apprendre le respect. Tu n'as pas le droit de fermer la porte à clé. Tu m'attends, quelle que soit l'heure où j'arrive. Est-ce que c'est clair ? »

Je vacillai et, en quête d'équilibre, saisis les rideaux dont les supports s'abattirent au sol dans un bruit fracassant. Hamza, l'un des jeunes frères de Moubarak, se précipita hors de sa chambre, juste à temps pour empêcher Moubarak de m'asséner un deuxième coup.

« Moubarak, qu'est-ce qu'il t'arrive ? Elle ne t'a rien fait ! Regarde à quelle heure tu réveilles ta femme pour la frapper !

— Mêle-toi de tes affaires. C'est mon épouse et j'en fais ce que je veux.

— Oui, c'est ton épouse. C'est pour cela que tu n'as pas à la frapper. Un peu de considération sinon pour ta cousine, du moins pour ton oncle, son père. Si l'un de vous devait se fâcher, c'est logiquement elle. Tu viens de rentrer à deux heures du matin.

— Ce n'est pas parce que tu as peur de ta femme que je devrais aussi craindre la mienne. Regarde-toi, petit Hamza, toujours obéissant, bon garçon. Ta femme n'a aucun respect pour toi. Tu es comme son petit chien. Tu fais honte à tous les hommes ! »

Il n'alla pas plus loin. Hamza l'arrêta d'un coup de poing. Madina, l'épouse de Hamza, s'interposa. Et toutes les deux avons tenté de séparer les deux frères. En vain. Bientôt ce fut au tour des mères d'intervenir, puis des autres frères, enfin de l'oncle Moussa lui-même. Ce fut lui qui mit fin à la bagarre générale.

On reprocha alors à Hamza son manque de respect envers son aîné. La bienséance voulait que le plus âgé ait toujours raison. Cependant, tout le monde avait compris que Hamza avait voulu me défendre. C'était respectueux vis-à-vis de mon père, son oncle, et tout à son honneur, mais il aurait quand même pu trouver une autre alternative !

Quant à moi, on me reprocha de m'endormir avant le retour de mon époux. D'ailleurs, pourquoi étais-je dans mon appartement la nuit ? Je n'avais pas de coépouse à ce qu'on sache, fit remarquer la mère de Hamza. L'usage voulait que je sois chez moi seulement la journée. Une épouse est censée partager la couche de son époux. Je l'avais donc bien cherché !

Ma belle-mère vint me reprocher, discrètement, mon impolitesse et mon insoumission face à mon époux. Elle me rappela mes devoirs d'épouse, m'exhorta à plus de docilité et menaça de se désolidariser de moi. Car, à cause de mon comportement, je menaçais l'équilibre fragile entre des frères qui ne se supportaient pas et qui n'avaient besoin d'aucun prétexte pour s'entretuer. De plus, elle aussi risquait fort de se disputer encore davantage avec la plus hargneuse de ses coépouses, la mère de Hamza.

Je me contentai d'acquiescer à tout.

Les jours suivants, Moubarak m'ignora. Il évitait surtout, comme le reste de la famille, de croiser mon œil au beurre noir. Ce n'était qu'un malentendu. Un de plus !

IV

C'est un après-midi brûlant, comme souvent au mois de mars, à Maroua. Le ciel est d'un bleu azur. La chaleur est suffocante. Quarante-cinq degrés. Dans cette torpeur, la concession est silencieuse. Même les enfants ont arrêté de jouer. Tous, nous cherchons refuge à l'ombre. Assise dans ma véranda, je tricote une nouvelle nappe à fleurs. Pendant que mes doigts s'activent autour du fil soyeux, je laisse vaquer mon esprit, songeuse.

Soudain, le vrombissement d'une moto me fait lever la tête. Moubarak arrive, accompagné d'une jeune fille à l'allure effrontée, vêtue d'une robe moulante en tissu bazin suggérant ses rondeurs. La vingtaine, elle est perchée sur des talons aiguilles qui, dans le sol sablonneux, exposent ses chevilles à une foulure certaine. Moubarak me toise du regard, puis installe son invitée au salon.

Leur conversation animée me parvient, ponctuée d'éclats de rires qui s'incrustent comme des aiguilles dans mon cœur. Que devrais-je faire ? Difficile de déclencher un scandale. Parents et proches ne manqueraient pas de me reprocher d'avoir jeté l'opprobre sur Moubarak, de n'avoir pas su préserver la dignité et l'honneur de mon époux. Pendant que, debout dans la véranda, indignée et humiliée, je réfléchis à la meilleure conduite à tenir, j'entends Moubarak fermer la porte de son appartement. Le cliquetis de la clé dans la serrure agit sur moi comme un coup de poignard et me réveille de ma torpeur. Le ronronnement du climatiseur de la chambre conjugale brise le silence. Mon orgueil en prend un tel coup que, tremblante de colère, je me hâte vers ma chambre, mets mon voile et sors par la porte de derrière.

126

Cela fait seulement quelques mois que je suis mariée et je n'ai pas encore le droit d'aller chez mon père, mais j'éprouve alors une profonde envie de revoir ma mère et de me confier à elle. La rue est déserte à cause de la canicule.

À cette heure, mes marâtres se sont sûrement retirées dans leurs appartements. Je baisse mon voile et m'engouffre silencieusement dans la chambre de ma mère qui vient à peine de terminer sa prière. Elle est encore assise sur le tapis et égrène son chapelet. À ma vue, elle me regarde, stupéfaite et, avant même de poser la moindre question, elle jette rapidement un coup d'œil effaré à l'extérieur. Soulagée de n'apercevoir aucune de ses coépouses, elle s'empresse de refermer la porte de sa chambre.

« Hindou que se passe-t-il ? Que fais-tu là ? »

Je pleure en silence. Cela me fait du bien de la retrouver. Elle aussi se met à pleurer. Puis elle me serre dans ses bras, émue et inquiète. Quel drame peut bien obliger une jeune mariée à sortir dans la journée ? Pire, à rentrer dans la concession parentale ?

« Hindou, répète-t-elle, que se passe-t-il, ma fille ? Parle vite !

— Moubarak ! dis-je en hoquetant. Bien sûr, je sais qu'il boit, qu'il se drogue, va en boîte et a des copines...

— Oui, tout le monde le sait. Ton père aussi le savait, ajouta-t-elle, rancunière.

— Il est à l'instant avec une fille dans sa propre chambre, dans notre maison.

— Quoi ? » réagit-elle, stupéfaite.

Son indignation est si grande que ses yeux brillent de rage à peine contenue. Cette fois, Moubarak dépasse les bornes. Abasourdie, elle commence à s'agiter puis se laisse tomber sur le lit.

« Tu n'as peut-être pas bien compris ! Ça doit être une amie de... »

Je lui coupe la parole et ajoute, en m'asseyant à ses côtés :

« Ils se sont enfermés à l'intérieur.

— Ce n'est pas possible ! »

Ma mère est la quatrième épouse de mon père – la seule instruite. Avec ses coépouses, elle entretient un climat de conflit et de jalousie permanent. Elle ne veut donc pas que mes déboires soient portés à la connaissance de la famille car mes marâtres témoigneraient leur

128

solidarité en apparence mais n'hésite-raient pas à en faire des gorges chaudes en privé, ce qui entamerait l'orgueil et l'honneur de ma mère. Il ne faut pas que ses coépouses l'apprennent, du moins pas pour le moment. Elles seraient si contentes des difficultés de la dernière épouse et favorite. Car, même si en apparence les coépouses font semblant de bien s'entendre, il règne entre elles une sourde rivalité, qui se répercute sur les enfants. On ne se contente pas de détester sa coépouse mais on hait aussi toute sa progéniture. On ne sou-haite pas seulement son infortune, mais aussi celle de tous les siens. Il ne faut surtout pas que le père remarque l'un d'entre eux et lui accorde une attention particulière.

Ma mère me demande de rester dans sa chambre et elle court immédiate-ment voir mon père. Ce n'est pas son *defande*. Aussi attend-elle patiemment que la troisième épouse qui vient de remplir la bouilloire d'eau destinée aux ablutions de mon père ressorte de son appartement.

« Doudou, je dois voir Alhadji tout de suite !

— Que se passe-t-il ? » fit Doudou, étonnée.

Sauf en cas d'urgence, une épouse doit attendre son tour pour rencontrer le mari. Contenant son irritation, Doudou insiste :

« Y a-t-il un problème ?

— Rien d'alarmant. La paix seulement. Mais j'ai besoin quand même de lui dire quelque chose avant qu'il ne reparte au marché. C'est vraiment urgent !

— Je peux peut-être te servir d'inter-médiaire ! Il a l'air pressé. Tu n'as qu'à m'expliquer, et je lui en parle.

— C'est personnel. Demande-lui de me recevoir, exige ma mère.

— Je vais donc essayer ! » fait Doudou malgré elle, tout en dissimulant à peine sa curiosité et son agacement.

Ma mère la suit et patiente dans la véranda. Glacial, mon père finit par la recevoir. C'est la période où il sort sa *zakat*. Il vient en effet de tenir ses comptes et a mis de côté la part destinée à l'aumône, la *zakat*, troisième pilier de l'islam. S'il ne cache pas sa

130

préférence pour ma mère, il se méfie tout de même de son impertinence et de ses convictions toujours tranchées quand quelque chose ne lui convient pas. Depuis le mariage de sa fille, elle affiche une extrême froideur à son égard, et il commence à en être irrité. Son épouse refuse de comprendre qu'il y a des situations qui lui échappent. Malgré le grand amour qu'il lui porte, il n'a pas pu mécontenter son frère quand celui-ci a demandé la main de sa fille pour le compte de son fils. Et puis, que voulait-elle ? Puisque qu'une fille doit se marier, il n'a fait qu'accomplir son devoir de père responsable.

« Alors, Amraou, qu'est ce qui t'amène ? Qu'est-ce qui presse tant pour que tu ne puisses pas attendre ton *defande*, qui commence justement ce soir ? Si une de tes coépouses cherchait à me voir ainsi pendant ton tour, que ne ferais-tu comme scène ?

— Il fallait que je te consulte rapidement. Il y a un problème !

— Ah ça, je m'en doutais. Dis vite ! Je n'ai pas de temps à perdre. On m'attend.

— Hindou est là. Elle est rentrée !

131

— Quoi ? En plein jour ? Avant un an de mariage ! Que dis-je, avant six mois ! C'est bien ta fille ! Aucune patience.

— Tu ne sais pas ce que Moubarak a fait. Il a...

— Peu importe ce qu'il a fait, l'interrompt-il d'un geste de la main. Au pire, elle aurait pu attendre la nuit. Rentrer chez ses parents en boudant en plein jour alors que nous habitons dans le même quartier, alors que cela fait à peine quelques mois qu'elle est mariée, ce n'est pas possible ! Tu peux y aller, finit-il, et il congédie ma mère.

— Mais...

— J'ai dit que j'ai compris. Va-t'en, gronde-t-il. Appelle ma sœur Nenné. Et qu'on la ramène discrètement. Elle a de la chance que je sois trop pressé pour la voir sinon je lui aurais appris la bienséance. Tout ça, c'est de ta faute. Tu dorlotes trop tes enfants et tu les gâtes. Normal qu'ils ne sachent pas se tenir. Si tu étais un peu plus ferme et sévère, elle ne se serait pas comportée ainsi. C'est parce qu'elle sait à l'avance que tu la soutiendras qu'elle est revenue. Crois-tu que Ramla oserait faire ça ? Je

132

ne vais pas voir Hindou, mais dis-lui
de ne pas croiser mon chemin de sitôt.
Quel manque de retenue !

— Moubarak a...

— Que Nenné la ramène immédiatement et que personne d'autre ne le
sache. C'est bien ta fille ! Elle ne réfléchit pas aux conséquences de ses actes !
Quelle honte !

— Mais son époux a vraiment exa-
géré. Il a...

— Peu importe ! Peu importe ce que
Moubarak a pu faire, c'est son cousin
avant d'être son époux. Le fils de mon
frère. Un peu de respect au moins pour
son oncle. C'est dans les moments diffi-
ciles qu'il faut patienter et tout supporter.
À la limite, si c'est grave, elle aurait pu
envoyer chercher sa tante et se confier.
Mais revenir ainsi ! Et toi ? Quelle mère
es-tu ? Au lieu de la réprimander et de la
renvoyer discrètement, tu préfères venir
me déranger, bousculer les convenances
et chercher noise à ta coépouse en for-
çant ma porte pendant son tour. C'est
à peine si tu ne donnes pas raison à ta
fille. Va-t'en et appelle-moi Doudou ! »

J'ai pleuré toutes les larmes de mon corps en apprenant ce qu'avait répondu mon père. Ma mère, assise dans un coin de la chambre, gardait un visage fermé et les poings serrés de colère. Mais, plus que la décision de mon père, c'était son attitude méprisante et ses mots blessants qui la faisaient enrager. Elle comprenait sa décision bien qu'elle ne la partageât pas. Pour me consoler, elle me raconta sa propre histoire, et ce pour la première fois. Bien sûr, je l'avais déjà entendue par bribes mais jamais de sa bouche. Les yeux rivés sur une cible invisible, elle ressassait ses souvenirs. Des larmes silencieuses, qu'elle essuyait de temps à autre du bout de son pagne, coulaient. Elle était triste.

« Tu sais, Hindou, moi non plus je n'ai pas choisi d'épouser ton père. Je n'ai pas non plus refusé de le faire. Pourquoi aurais-je dit non ? Il ne m'en serait jamais venu l'idée. Devant l'épreuve que ma famille traversait à ce moment-là, je n'avais pas le cœur à contrarier mes parents.

« Ma grande sœur venait de mourir. Une mort subite, naturelle, qui surprit toute la famille. La résignation face à la volonté toute puissante d'Allah fit place à la stupeur et à la désolation. On ne meurt que quand son temps de vie sur terre est achevé. Un temps déjà inscrit par le Créateur dès le premier souffle de vie. On ne peut avancer ni reculer ce moment fatidique. Pourquoi alors se lamenter sur la décision implacable d'Allah ? Je n'avais pas pensé au mariage. Du moins jusque-là. J'avais quatorze ans et ma grande sœur, mariée depuis quelques années à ton père, venait de mourir, laissant trois orphelins. Dans la famille, on a murmuré que sa mort aurait été causée par un mauvais sort lancé par une coépouse jalouse. Évident : ma sœur Hidaya était d'une grande beauté, d'une grande générosité, et elle était rapidement devenue la favorite de son époux.

« À sa mort, ma mère, les yeux rougis par le chagrin, m'a fait venir dans sa chambre. Mon père était là, le visage sombre. Tous deux, silencieux, égrainaient leur chapelet en signe de résignation face au drame que leur imposait le destin. Je me suis assise non loin de mon père, curieuse et impatiente de savoir ce qu'on attendait de moi.

« "Amraou, ta sœur, était une fille bien, commença mon père après s'être raclé la gorge. Sous tous les rapports. Elle ira au Paradis, *inch Allah*. Sa mère lui a pardonné, son époux n'avait aucun reproche à lui faire."

"Bien sûr Baaba !", ai-je répondu.

"Moi non plus, je n'ai pas de reproche à son encontre. Elle a toujours été une fille gentille et sage. Elle m'a fait honneur et a préservé ma dignité."

"Qu'Allah lui pardonne et l'accueille en son sein", ajouta ma mère dans un murmure.

"*Amine !* fit alors mon père. J'ai bien réfléchi ! Depuis quelques jours, je n'arrête pas de remuer la même idée dans ma tête et je viens d'en parler à ta mère qui n'a opposé aucune objection. Bien au contraire ! Elle s'est rangée à mon avis. Alhadji Boubakari a été un gendre irréprochable, et c'est une grande perte pour nous. C'est vrai pour lui aussi car, avant d'être mon gendre, il a toujours été mon ami. Que dis-je ? Mon frère. Nous avons été circoncis ensemble et avons subi les mêmes épreuves. Entre nous règne une grande amitié mais aussi un grand respect."

« Il marqua une pause comme pour se remémorer ses souvenirs, et continua :

"Amraou, toi aussi, tu es une fille sage et obéissante. Tu as toujours su te tenir, et je sais que je peux te faire confiance. Tu es déjà en âge de te marier. Tu prendras donc la place de ta sœur ! Tu élèveras ses enfants et tu les protégeras comme elle l'aurait fait. Tu occuperas sa chambre et hériteras de ses effets. Tu épouseras Alhadji Boubakari dans une semaine. Il n'y aura bien entendu ni fête ni autre célébration. J'ai un petit regret de ne pouvoir attendre les vacances. Mais tu es intelligente et tu as appris ce que tu pouvais à l'école. Tu sais lire et écrire. C'est plus que suffisant. La place d'une femme est avant tout dans son foyer. Voilà ce que j'avais à te dire ! J'espère que tu sauras me faire honneur et remplacer ta sœur."

« Prise de stupeur, je n'ai rien dit. Que pouvais-je dire ? Le mariage, oui, bien sûr, c'était la seule perspective pour une fille. Il était hors de question

137

de contredire ses parents, comme le dit le proverbe peul : "Ce qu'une personne âgée aperçoit assise, l'enfant, même s'il se lève, ne le verra pas !"

« Mon père avait choisi un époux pour moi. Un homme qu'il estimait et respectait. En fille digne, je ne pouvais que me ranger à son souhait. J'avais juste une semaine pour me faire à cette idée. Je connaissais bien sûr la maison de ma sœur. J'avais côtoyé ses coépouses et joué avec leurs enfants. J'avais passé plusieurs nuits dans sa chambre et salué avec respect son époux chaque fois que je le rencontrais. Quelle ironie du destin que de devoir y retourner, cette fois en tant qu'épouse !

"Tu suivras ses traces et tu la remplaceras auprès de ses enfants. Que jamais leur mère ne leur manque, a dit ma mère. Et quand tu mettras au monde tes propres enfants, que jamais ceux de ta sœur ne se sentent lésés."

"J'ai déjà informé Boubakari de ma décision, ajouta mon père. Il en a été très ému. Je suis content de cet arrangement qui satisfait tout le monde dans les temps douloureux que nous traversons. Allah veille sur les âmes en souffrance. Voilà un bonheur après un grand malheur !"

« Sur mes joues ruisselaient des larmes. Ma mère pleurait aussi en silence. Mon père se leva et nous dit simplement :

"Patience, *munyal !* On ne peut aller contre la volonté de Dieu."

« C'est ainsi que je suis entrée dans ma vie de femme mariée. Sans tambour ni trompette. On m'a simplement installée dans la chambre de ma sœur. On m'a offert tout ce qui lui appartenait. Puis, la nuit tombée, on m'a conduite dans la chambre de son époux. Je n'ai pas eu le temps d'apprendre à être une épouse ni une mère. Mais ce sont des choses qui ne s'apprennent pas. Une femme naît avant tout épouse et mère. Oui, tu le savais déjà, tes frères aînés sont tes demi-frères, et ce sont aussi tes cousins. Non, ce sont tout simplement tes frères car je les ai aimés, protégés et élevés comme les miens. J'ai hérité des trois enfants de Hidaya, j'ai aussi hérité des assiettes qui remplissaient son armoire, j'ai hérité des meubles offerts par notre père à son mariage, j'ai enfin

139

hérité de son époux mais surtout de ses trois coépouses ! Patience ! On me l'a répété si souvent. Nos rivalités de coépouses non seulement ne connaissent jamais de fin, mais même une trêve est impossible car chaque rivale attend impatiemment la faille pour déstabiliser son ennemie. J'ai appris à me protéger de tous. Les coépouses, certes, sont des ennemies connues mais les belles-sœurs sournoises, les épouses des beaux-frères jalouses, les enfants de l'époux, sa mère, sa famille le sont aussi. »

Depuis un moment, les larmes qui coulaient sur ses joues hachaient la voix de ma mère. Et c'est dans un sanglot à peine étouffé qu'elle conclut :

« Il est difficile, le chemin de vie des femmes, ma fille. Ils sont brefs, les moments d'insouciance. Nous n'avons pas de jeunesse. Nous ne connaissons que très peu de joies. Nous ne trouvons le bonheur que là où nous le cultivons. À toi de trouver une solution pour rendre ta vie supportable. Mieux encore, pour rendre ta vie acceptable. C'est ce que j'ai fait, moi, durant toutes ces années. J'ai piétiné mes rêves pour mieux embrasser mes devoirs. »

Ma tante Nenné, qu'elle avait fait appeler, entra dans la chambre sans s'annoncer. Goggo Nenné était amie avec ma mère, elles s'entendaient très bien. Et ma mère espérait que sa belle-sœur serait de bon conseil face à cette situation très humiliante. Voir sa fille malheureuse et dépréciée lui brisait le cœur. Mais le pire, c'était pour elle de savoir que son infortune ferait le plaisir de ses coépouses qui n'hésiteraient pas alors à en rajouter, ternissant ainsi l'image, qu'elle avait bâtie avec peine, de l'épouse favorite.

À peine eut-elle franchi la porte d'entrée que Goggo Nenné ouvrit de grands yeux pleins de stupeur, la main sur la bouche :

« Hindou ? Que fais-tu là ? Mais que fait-elle là ? Il est arrivé un malheur ? questionna-t-elle, en se tournant vers ma mère.

— Ce voyou qu'elle a comme époux... Quelle malchance, mon Dieu ! Son père exige que tu la ramènes discrètement.

Personne ne sait qu'elle est là. Personne ne doit le savoir, surtout pas ces sorcières de coépouses !

— Tu as raison ! Lève-toi, Hindou ! On y va tout de suite avant qu'on ne s'aperçoive de ta présence. Franchement, ma fille, tu exagères. Peu importe la situation, tu peux quand même attendre la nuit avant de sortir. Quelle honte ! Réfléchis sur les conséquences de tes gestes avant d'agir !

— Moubarak est avec une fille dans notre chambre ! confiai-je indignée et impuissante.

— Ya Allah ! Aucun *pulaaku*, ce garçon ! Faire ça à son épouse ! Pire, à sa cousine ! Quelle honte, mon Dieu ! Mais où va ce monde ?

— Il n'a aucun scrupule. Si seulement Alhadji avait voulu m'écouter ! Il n'aurait jamais consenti à ce mariage. J'ai bien envie d'étriper ce garçon !

— On ne règle pas ce genre de problème par la force, Amraou. Je t'avais bien dit de ne pas rester les bras croisés mais tu persistes à ignorer les choses. Continue comme ça et, non seulement les ennemis s'occuperont de ton cas, mais ils ne laisseront aucun de tes enfants en paix ! Si tu avais consulté les marabouts comme je te l'avais conseillé, si tu avais protégé ta fille, si tu avais aussi fait un peu d'effort pour que son époux l'aime, ça ne serait pas arrivé. Tu es naïve, Amraou. Et ta fille l'est tout autant que toi ! Tu viens de faire la joie des ennemis de ta mère, Hindou. Tous ceux qui la détestent ne peuvent que se réjouir de ton infortune. Tu as ouvert ta calebasse de lait et laissé les mouches s'en délecter !

— Que faire, Nenné ? demanda ma mère. Je n'ai pas dormi comme tu le sous-entends. Je me suis défendue comme je le pouvais mais trop de personnes s'acharnent sur moi. Que puis-je faire seule contre tous ? Où chercher cette fameuse protection ? Tu connais quelqu'un d'efficace, toi ?

— J'ai entendu parler d'un grand marabout dans un village des environs.

— Tu peux t'en occuper ?

— Dès demain, *inch Allah*. En attendant, Hindou, lève-toi, je te raccompagne. Fais-toi discrète, ignore Moubarak. Une femme n'a pas besoin de partir de chez elle. Même chez toi, tu as des moyens pour montrer à ton époux que tu es fâchée. Comprends aussi qu'en racontant certaines choses, ce n'est pas lui que tu humilies, c'est toi. Et comprends une fois pour toutes que toutes tes actions retombent sur ta mère. »

Moubarak a, sous mes yeux, des relations avec sa maîtresse dans la chambre conjugale. Mais c'est moi, la fautive. C'est moi qui manque de patience !

Moubarak a ramené sa maîtresse au foyer conjugal, et c'est la faute de mes marâtres qui ont dû me jeter un sort. C'est la faute de ma belle-mère qui me déteste, c'est la faute de cette fille qui l'a charmé, c'est la faute de ma mère qui n'a pas su se protéger ni me protéger.

Dès demain, Goggo Nenné s'en occupera...

V

Des herbes pour me rendre invincible, des *gaadé* pour me procurer ce charme qui semble tant me manquer, des poudres à mettre dans le thé de Moubarak à son insu afin de me l'attacher, et bien d'autres produits tout aussi miraculeux : voilà tout ce que Goggo Nenné a rapporté de chez le marabout.

Mais rien ne semble marcher ! Rien ne détourne Moubarak de ses mauvaises habitudes. Ni les herbes ni les prières ni ma soumission et encore moins ma patience. Mon époux entretient des aventures multiples, boit, use de stupéfiants et regagne toujours le foyer à une heure tardive. Il continue de me brutaliser, de m'abreuver d'insultes aussi dégradantes

145

qu'humiliantes. On ne compte plus les hématomes, égratignures et ecchymoses que ses coups laissent sur mon corps – et ce dans la plus grande indifférence des membres de la famille. On sait que Moubarak me frappe, et c'est dans l'ordre des choses. Il est naturel qu'un homme corrige, insulte ou répudie ses épouses. Ni mon père ni mes oncles ne dérogent à cette règle. Tous, un jour ou l'autre, ont eu à battre l'une de leurs épouses. Ils n'hésitent pas à injurier femmes, enfants et employés. Pourquoi mon cas serait-il particulier ? Pourquoi s'y attarderait-on ? *C'est un droit divin*, me souffle un jour une femme érudite. *Il est écrit dans le Coran qu'un homme a la légitimité de punir et de battre son épouse si elle est insoumise. Mais il est tout de même interdit qu'il s'acharne sur son visage*, ajoute-t-elle, scandalisée par mon œil au beurre noir.

À peine sortie de l'adolescence que déjà je me tasse. C'est comme si inconsciemment je voulais disparaître sous terre et me rendre invisible. Le teint blafard, je traîne ma maigreur squelettique. Flottant dans mes pagnes, je ne cesse de déambuler en proie à l'anxiété. Insomniaque, je passe désormais mes nuits, allongée dans le noir, à remuer toutes sortes de pensées morbides, et c'est seulement au petit matin que je trouve un peu de répit, au moment de la prière de l'aube. Je vis non plus comme au début en suivant le rythme immuable de la grande concession, mais plutôt en fonction des humeurs changeantes de Moubarak, de celles non moins versatiles de ma belle-mère et de l'ensemble de la gent féminine de la concession. En effet, les femmes se côtoient sans cesse au point de se sentir piégées aussi bien par les murs hauts qui nous entourent que par les étoffes de plus en plus sombres et lourdes que mon oncle Moussa nous oblige à revêtir. Il n'y a pas un jour où elles ne s'agacent voire s'entredéchirent à force de tourner en rond comme des lionnes en cage.

Quel ennui ! La vie coule, et tous les jours se ressemblent. Nous n'avons rien à faire sinon faire la cuisine et nous occuper des enfants. La monotonie nous assomme et nous tue du matin jusqu'au soir, et du soir au matin.

Moubarak, lui-même, vit au rythme de ses crises de nerfs. Car il n'a aucun travail, aucune perspective d'avenir. Son père s'obstine à ne pas lui donner même un franc pour son projet d'affaires, et il n'hésite pas non plus à le traiter d'incapable, de paresseux ou de voyou irrécupérable. Désœuvré, Moubarak ne juge aucune tâche digne de lui, ne veut surtout pas travailler pour quelqu'un d'autre, il veut entreprendre mais a perdu tout espoir d'une aide quelconque de l'un de ses oncles en sombrant dans l'alcoolisme.

Pour lui, je suis donc devenue sa chose. Sur moi, il se défoule de son trop-plein de colère et de rancœur envers son père.

Je ne me plains plus et, s'il m'arrive de pleurer, je le fais en cachette, la nuit, dans l'intimité de ma chambre. Je n'attends plus rien des autres. Ni secours, ni espoir. Résignée, je me conforme à ce que tous attendaient de moi. Je n'ai personne à qui me confier. Entre les femmes de la concession règnent le non-dit, l'hypocrisie et la méfiance.

Je ne déroge pas à la règle : je deviens égoïste. Je ne vais pas bien, les autres non plus, mais je ne me préoccupe que de moi. Mes insomnies se multiplient, et le manque de sommeil me donne des migraines. J'ai beau prendre des médicaments prescrits par les médecins, des filtres recommandés par des guérisseurs, rien n'y fait. La lassitude me ronge et j'éprouve une angoisse que rien ne peut atténuer. J'ai de plus en plus de fourmillements et de crampes dans les membres, ce qui me laisse sans force. Mon entourage, qui voit là les signes d'un refroidissement, me conseille de me couvrir et de m'aliter. Je m'enfonce peu à peu dans la déprime et fais parfois des crises de spasmophilie, pendant lesquelles, la gorge serrée, je n'arrête pas de suffoquer. L'estomac noué, la mort me semble de plus la seule échappatoire.

Un soir où Moubarak revient comme d'habitude, ivre et hargneux, il exige à plus de minuit que je lui fasse une bouillie. Je m'affaire, inquiète à l'idée qu'à une heure aussi tardive je ne puisse trouver les bons ingrédients. Et, dans mon affolement, je n'arrive pas à rallumer le feu. Le temps passe, je me désespère de réussir à satisfaire mon époux.

Las d'attendre, celui-ci me rejoint dans la cuisine. Et, quand il découvre que le foyer est encore éteint, il devient enragé. Un rictus défigure son visage. Nos regards se croisent un bref instant puis, sans rien dire, il repart dans la cour. Fébrilement je cherche une bûche quand un violent coup dans le dos me précipite dans la cendre. Étourdie, je réussis, par instinct de survie, à lui faire face et me protège le visage au moment où trois autres coups d'un parasol, associés à de nombreux coups de pieds, s'abattent violemment sur moi.

« Tu me fais rapidement cette bouillie ou je reviens t'achever ! » menaça-t-il en retournant vers sa chambre.

Le visage tuméfié et le corps plein d'ecchymoses, je tremble de tous mes membres. Mon pagne est souillé d'urine. Il faut que je rallume le feu, que je fasse cette bouillie. Mes mains tremblent tellement que je renverse par terre une partie de la farine, déjà insuffisante.

Moubarak ne tarde pas à revenir. Sa silhouette athlétique surgit de la pénombre, son ombre terrifiante se détache sur le seuil de la porte. Dans le silence, à peine troublé par mon souffle, je sens mon cœur battre la chamade et je me mets à le supplier, en claquant des dents :

« S'il te plaît, je me dépêche ! S'il te plaît... »

Et je recule jusqu'au mur noirci de suie, je renverse au passage l'assiette contenant le restant de farine et je protège mon visage, en répétant d'une voix hachée :

« Je me dépêche, je fais vite ! Donnemoi un peu de temps, j'arrive...

— C'est bon, Hindou ! Laisse tomber cette bouillie. Je n'en veux plus.

— Je vais rallumer le feu. Je vais... »

La terreur me serre la gorge, m'étouffe et m'empêche de respirer.

« Je fais vite ! Je me dépêche. »

Quand il se rapproche de moi, je tremble tellement que, pour la seconde fois de la soirée, je fais sur moi. Le liquide tiède mouille le pagne déjà humide, dégouline le long de mes jambes et laisse une trace sur le sol poussiéreux. Un vide s'installe dans mon esprit. Tout mon corps se contracte de peur des coups. Je suis terrorisée.

Contre toute attente, ma frayeur le calme, et il pousse un soupir.

Je lui répète, en reculant encore comme pour disparaître dans le mur :

« Je vais faire la bouillie. Je vais la faire rapidement.

— Viens », fait-il en me prenant par la main et en m'entraînant dans la chambre.

Il semble attendri :

« Hindou, va te doucher, je t'attends, m'ordonne-t-il, en refermant la porte.

— Je vais faire la bouillie, dis-je, au comble de l'affolement.

— Va prendre une douche », répète-t-il.

Puis, voyant que je tremble toujours, il me pousse dans la salle de bains et ajoute :

« C'est fini. Je ne te frapperai plus. Va te laver. »

Je prends une douche, laissant l'eau couler sur mon corps meurtri comme pour me laver de mes souffrances. J'essaie d'étouffer mes sanglots de peur d'attiser à nouveau sa colère mais j'ai du mal à m'en empêcher. Il finit par me sortir de la salle de bains, tremblante.

Une fois que je suis allongée près de lui, Moubarak me viole en guise de consolation, non sans oublier de me répéter que c'est de ma faute s'il me frappe, que je réussis toujours à le mettre hors de lui. Il m'exhorte à être plus consciencieuse dorénavant et ajoute qu'il me pardonne. Dans un bâillement, Moubarak conclut :

« N'y pense plus. Je me rends compte que je t'ai vraiment fait peur. Je ne te frapperai plus. C'est juste que je suis très énervé ce soir. C'est fini ! Dors, ma chérie ! Je t'aime, quoi que tu penses. »

Je ne parviens pas à fermer l'œil. À côté de moi, le bras négligemment posé sur mon corps, mon époux dort d'un sommeil apaisé. Mon dos et mon cou, endoloris par les coups, sont de plus en plus douloureux. Cette nuit, je prends conscience du danger que je cours. Si je reste à le regarder, à le subir sans rien faire, Moubarak va finir par me tuer. Sa tendresse après un déchaînement de violence s'apparente à un scénario que je connais bien et qui ne me trompe plus.

Ce sera toujours pareil. Il me frappera, fera semblant de le regretter, promettra de ne plus le faire... jusqu'à la prochaine fois. Je le sais.

Moubarak ne changera pas. Je pourrais me plaindre mais on me demandera toujours de patienter. Encore un peu. *Qui a de la patience ne le regrette pas*, me rappellera-t-on. Et si un mauvais coup m'achève, ce ne sera que la volonté d'Allah.

Avant l'aube, j'ai pris ma décision. Malgré la douleur, je réussis à me lever et je sors en silence de la chambre que je prends soin de refermer délicatement après moi. Il fait encore nuit. Le *muezzin* vient de psalmodier le premier appel à la prière. Au *zawlèru*, le gardien dort d'un sommeil profond, ronflant à tout rompre. Je revêts mon manteau noir et, sans rien prendre de plus, ouvre silencieusement la porte arrière pour m'engouffrer dans la nuit noire.

Je n'ai aucun plan précis. Je ne sais pas où aller. Je sais seulement où je ne dois surtout pas me rendre. Ni ma mère ni mon père ni mes oncles ne me seront d'un grand secours. Je n'ai pas d'amis. Pas suffisamment d'argent. Et nulle part où me réfugier. Mais c'est bien ce qu'il faut que je fasse. Partir au plus vite. Loin d'ici, loin de tout. Avant le lever du jour, je dois mettre le plus de distance possible entre Moubarak et moi, entre cette concession et moi.

VI

Mon père se lève brusquement de son fauteuil, il est fou de colère et pointe vers moi un doigt accusateur.

« Dis-moi la vérité, maintenant. Tu n'as pas intérêt à me mentir, fille de pute. Je sais que tu es allée à Gazawa ! Qui connais-tu à Gazawa ? Un homme, c'est ça ? Maintenant, ma fille a des amants !

— Non, Baaba ! C'est juste que...

— C'est ta mère ! C'est elle qui t'a entraînée ? hurle-t-il.

— Non.

— D'accord ! Je vous obligerai à me dire la vérité », fait-il, tremblant de fureur.

J'ai déjà assisté aux colères incontrôlées de mon père mais jamais je n'ai vu

157

son visage aussi hargneux. Son indignation est telle qu'il ne me donne pas la possibilité de m'expliquer, de lui raconter tout ce que je subis de la part de Moubarak.

« Je vais te tuer ! »

Pendant des jours après ma fugue, ma famille m'a cherchée avant de découvrir par le plus grand des hasards que j'étais à Gazawa, une localité proche de Maroua.

Le jour où j'ai déserté la maison conjugale, sans destination précise, je n'avais guère imaginé les conséquences de ma fugue ni pour moi et encore moins pour le reste de la famille. N'ayant aucun plan dans la tête, j'ai pris le premier bus venu. Dans les ruelles de la petite ville, je suis entrée dans la première concession sans me poser plus de question. Pendant un mois, j'ai partagé le quotidien de mes hôtes, une famille rurale dont l'épouse, Djebba, gentille et accueillante, m'a offert amitié et protection. Sans me poser des questions qui pouvaient s'avérer embarrassantes, elle a soigné mes plaies, a fait bouillir des écorces médicinales qu'elle m'a exhorté à boire. L'attention que Djebba et les siens m'ont accordée me faisait temporairement oublier mes déboires. L'hospitalité légendaire qu'ils tenaient du *pulaaku* m'aidait à me sentir la bienvenue. Je savais que je pouvais rester autant que je le souhaitais, je faisais partie de la maisonnée.

Pendant ce temps, ma famille se demandait ce qu'il m'était arrivé. Moubarak avait juste évoqué une simple dispute. La famille s'était mobilisée pour partir à ma recherche. Tous, partagés entre l'inquiétude et la colère, cherchaient la moindre information pouvant les mener sur ma trace… jusqu'au jour où un ami de la famille s'est souvenu avoir fait le trajet de Gazawa en compagnie d'une femme qui ressemblait au portrait de moi qui avait été communiqué. Ma fugue prit fin avec l'irruption dans ma nouvelle vie de Goggo Nenné, suivie d'oncle Yougouda.

Mon oncle me ramena à la maison *manu militari* et me fit asseoir au salon, exigeant que j'y attende, sous la stricte surveillance de ma tante, le retour de mon père du marché. Ma mère venue à ma rencontre me serra longuement dans ses bras. Elle avait le visage pâle et les traits tirés. Amaigrie, elle flottait dans son corsage. À trente-cinq ans, à force d'inquiétude, elle avait pris dix ans en un mois. Méprisant son tourment, mon père n'avait pas arrêté de la tourmenter, l'accusant d'être directement responsable de mon insoumission.

« Oh ! Hindou, qu'est-ce que tu as fait ? N'as-tu pas eu pitié de moi ? »

J'éclatai en sanglots.

« Moubarak m'a violemment battue ce soir-là. J'ai eu tellement peur mais je savais que, si je rentrais ici, vous me ramèneriez aussitôt, justifiai-je.

— Bien sûr qu'on allait te renvoyer, fit sévèrement Goggo Nenné. Tu n'es ni la première ni la dernière qu'un homme frappe. Ce n'est pas une raison pour disparaître comme cela. On aurait certainement trouvé une solution. Tu n'es pas une feuille morte à la merci du vent. Tu as une famille pour te protéger.

— Mais vous m'auriez juste dit de *patienter*.

— Ce qui est normal. La patience est une prescription divine. Elle est la

160

première des réponses. Elle est la solution à tout.

— Une fois, mon époux m'a donné un coup de poing qui m'a assommée. Et je suis tombée inconsciente sur le *canari*, la jarre dans laquelle on conserve l'eau pour qu'elle reste fraîche. Celle-ci s'est brisée sous mon poids et m'a entaillé profondément le bras. Sans s'inquiéter, Moubarak est sorti et n'est rentré qu'au petit matin. J'ai repris connaissance au milieu de la nuit, des fourmis plein les cheveux, le corps en feu et le pagne souillé de sang coagulé. Je t'ai fait appeler, ma tante, et je me suis confiée à toi. Tu m'as juste exhortée à plus de patience. Je me suis aussi confiée à ma belle-mère mais elle aussi m'a demandé de patienter.

— Et c'est pour cette raison que tu as décidé de partir ? demanda d'un ton méprisant Goggo Nenné. Bravo, tu as trouvé la solution ! »

Je ne dis rien mais je soulevai juste mon corsage dénudant mon dos, dévoilant les grandes ecchymoses que l'on pouvait encore voir. Avec le temps, elles avaient pris une couleur plus foncée, ce qui arracha à ma mère un cri de stupeur.

« Oh ! Hindou, avec quoi t'a-t-il fait ça ? Pourquoi ne m'as-tu rien dit ?

— Qu'as-tu fait à Moubarak pour qu'il abatte sur toi une telle fureur ? fit froidement ma tante. Qu'Allah nous préserve. Franchement, toi et ton époux, vous vous valez. Pas la peine d'entrer dans vos histoires.

— Je ne veux plus patienter, criai-je, éclatant en sanglots. J'en ai assez. Je suis fatiguée d'endurer, j'ai essayé de supporter mais ce n'est plus possible. Je ne veux plus entendre *patience* encore. Ne me dites plus jamais *munyal* ! Plus jamais ce mot !

— Tu en as trop supporté, Hindou. Plus que ce que tu aurais dû peut-être, ajouta ma mère, me réconfortant alors que je sanglotais de plus belle.

— Tu expliqueras cela à ton époux, Amraou ! » conclut sèchement Goggo Nenné en se tournant vers ma mère.

À présent, je fais face à la fureur de mon père qui ne me laisse pas parler :

« Alors ? Qui es-tu allée voir à Gazawa ? Tu ne veux pas répondre, c'est ça ? Madame pense qu'elle est maintenant grande. Qu'elle peut faire ce qu'elle veut ? »

La crise familiale a rassemblé toute la famille. Mes frères se tiennent dans la cour, où ils tendent l'oreille pour savoir ce qu'il se dit. Mes marâtres se sont agglutinées à la fenêtre pour écouter. Quant à mon époux, mon père l'a également convoqué. Il attend sur une chaise dans la véranda. Il ne semble pas plus rassuré que moi et se ronge les ongles. Un instant, nos regards se croisent, il baisse les yeux.

Mes oncles, Hayatou et Yougouda, sont aussi assis dans le salon, le visage fermé, tandis que ma mère, au banc des accusés comme moi, se tasse sur le tapis face à la colère intransigeante de mon père.

« Tu vas me répondre enfin ? » gronde-t-il.

Au comble de l'angoisse, je bredouille.

« Je m'excuse.

— Tu t'excuses ? »

Il entre comme un fou dans sa chambre, en ressort avec un long fouet dont il me cingle les épaules. Les coups sifflent sourdement dans l'air. L'angoisse, qui m'étrangle depuis ce matin, se mue en une véritable terreur. Je cherche un coin pour me protéger de ce déchaînement de violence car mon père ne se contrôle plus.

« Tu vas dire la vérité ! Chez quel homme étais-tu ? Depuis combien de temps as-tu une aventure ?

— Je te jure, Baaba, que je n'ai rien fait ! Je suis partie parce que Moubarak m'a battue.

— Espèce de pute. Tu vas avouer immédiatement avec qui tu étais. Ton époux t'a frappée alors tu peux aller t'en chercher un autre, c'est ça ? »

La lanière du fouet me lacère la peau, déchirant le pagne que je porte. Moubarak et mes oncles assistent impassibles à cette flagellation.

Quand mon père estime la punition suffisante, il retourne sa rage contre ma mère. Elle ne bouge pas, ne pleure pas et reçoit stoïquement les coups sans ciller. Seuls ses yeux, noyés de larmes,

164

brillent plus fort qu'à l'accoutumée. Elle ne se protège pas. Elle demeure figée et toise mon père dans un air de défi à la mesure de la sourde colère qui l'anime au fond du cœur. Toute la concession retient son souffle. C'est alors que mon oncle Yougouda, sans quitter sa place, intervient :

« Ça suffit ! Ne la frappe pas devant son enfant ! »

Mon père, après un ultime coup de pied, jette son fouet et s'essuie le visage ruisselant de sueur, puis prend une gorgée d'eau. Toujours aussi furieux, il s'adresse à ma mère :

« Tu n'es qu'une incapable ! Je te répudie.

— Non ! tranche rapidement oncle Hayatou. Ne la répudie pas. Ce n'est pas sa faute.

— C'est elle qui a gâté cet enfant. C'est elle qui cède à tous ses caprices ! Elle était sûrement au courant de tout.

— Tu l'as déjà corrigée. Elle a compris. *Munyal*. Patience.

— Je ne suis pas au courant, Allah en est témoin, se justifie ma mère. Mais tu peux me répudier si tu veux. Je vais

165

d'ailleurs m'en aller, même si tu ne le fais pas. Moi aussi, je suis fatiguée. Moi aussi, j'en ai déjà trop enduré, trop supporté.

— Amraou, tais-toi et retourne dans ton appartement. Tu n'iras nulle part et tu ne seras pas répudiée, coupe oncle Yougouda. Sois patiente ! La vie est faite de patience. On ne patiente jamais assez. Qui patiente ne le regrettera jamais et personne n'est plus patient qu'Allah. Quand on est parent, on doit assumer. Toi aussi, Boubakari, sois patient. »

Mon père s'est calmé. Il est soulagé de pouvoir se réconcilier avec sa favorite sans perdre la face, il se rassied et, à son attention, il ajoute d'une voix douce :

« Tu peux retourner à ton appartement. »

Ma mère, sans un regard ni sur moi ni sur lui, se lève sans un mot, réajuste son voile et quitte la pièce d'un air hautain. Je sais, la connaissant, qu'elle partira, ne serait-ce que par orgueil. Et je sais aussi que, comme d'habitude, mon père la fera revenir, usant de toute la persuasion nécessaire, à grand renfort de promesses et de cadeaux coûteux.

Oncle Hayatou appelle alors Moubarak d'une voix forte.

« Toi aussi, je suis au courant de ton comportement. Fais attention à toi, Moubarak ! Ça ne te servira à rien de te comporter comme un voyou. On a appris que tu maltraites ton épouse, que tu te drogues et que tu bois. Ce n'est pas sensé. Au-delà du fait qu'elle est ton épouse, c'est quand même ta cousine, et tu lui dois protection. Que ce soit la dernière fois que j'apprends que tu l'as frappée. Quand on épouse une inconnue, on lui doit des égards. Quand on épouse un membre de sa famille, on lui en doit deux fois plus. Tu veux diviser la famille ou quoi ? Tu n'es pas innocent dans ce qui s'est passé.

— Bien sûr, mon oncle. J'ai compris et j'en suis conscient.

— Je ne t'ai pas donné ma fille pour que tu la maltraites, Moubarak. Si tu ne veux plus d'elle, renvoie-la-moi tout simplement, fait mon père rudement.

— Je m'excuse mon oncle. Je ne la maltraiterai plus, *wallahi*, je le jure au nom d'Allah. Bien sûr que je l'aime. Et je suis très heureux avec elle. Je regrette vraiment.

— Dans tous les cas, te voilà prévenu, et c'est la dernière fois, ajoute fermement mon père. »

Oncle Hayatou se tourne alors vers moi : « Cette histoire est définitivement enterrée, Hindou. Comprends que si nous sommes aussi sévères, c'est afin de te protéger des turpitudes de cette vie et de l'autre, et cela, parce que tu es notre fille et que nous tenons à toi. Seule une personne qui t'aime peut te réprimander. Les autres restent indifférentes à tes égarements. J'espère que tu vas te ranger dorénavant, respecter ton époux et préserver ton honneur et celui de ta famille. S'il te frappe encore une fois, viens me le dire. S'il t'offense, n'hésite pas à m'en informer. Je trouverai une solution radicale. Tu as entendu ce que ton père a dit. Si ton époux te fait quelque chose, tu n'as pas d'autres défenseurs que nous. Tu n'as pas à chercher des solutions, seule. À présent, Moubarak, prends ton épouse et ramène-la à la maison. Je le répète, tout ça est de ta faute. Tu traînes toute la journée à faire n'importe quoi pour revenir tard dans la nuit menacer ton épouse. Viens me voir demain à mon bureau. Il serait grand temps que tu prennes tes responsabilités. »

Mon père était déjà passé à autre chose, affairé à bavarder au téléphone avec entrain. C'est sans un mot que je suivis Moubarak. Quand j'entrai dans ma chambre en sanglotant de toutes mes forces, il se contenta de refermer la porte tout doucement. Quelques minutes plus tard, il revint, pansa mes plaies et me tendit quelques comprimés que j'avalai sans appréhension, puis je me recroquevillai dans mon lit. Seul un gémissement de temps à autre brisait le silence. Aucune parole ne fut prononcée. La vie reprit son cours normal.

Cela faisait maintenant un an que j'étais mariée. Et j'étais enceinte. La nuit du viol et de ma fugue à Gazawa marquait le commencement d'une vie qui s'accrochait à mes entrailles. Ni mes angoisses ni mon amertume ni la magistrale correction de mon père ne purent dissuader l'enfant de grandir dans mon ventre. Il semblait déterminé à vivre.

VII

J'ai changé. On dit que je suis malade.
Peut-être que c'est vrai. Je ne sais pas. Je
suis trop lasse pour y penser. Pendant
neuf mois, j'ai subi ma mélancolie en
même temps que ma grossesse. Des vio-
lences infligées, je suis sortie les nerfs à
fleur de peau. Au moindre bruit, je sur-
saute. Mon estomac ne se dénoue plus.
J'ai sans cesse une boule d'angoisse au
fond de la gorge. La tristesse des premiers jours a fait place au mutisme et à
la dépression. Je ne parle plus, ne sors
plus de ma chambre, les rideaux sont
toujours baissés. Je n'ai plus aucune
énergie. Et même la gentillesse de
Moubarak, qui s'est un peu assagi, me
laisse indifférente. Ma grossesse est

difficile. Je ne supporte plus les nausées. Devenue anorexique, je ne mange presque plus.

J'ai changé. Maintenant, j'entends des voix. Ça a commencé le jour de l'accouchement. Goggo Nenné qui, au terme du septième mois, est venue s'installer chez moi à cause de mon extrême faiblesse, m'a accompagnée à la maternité. Les contractions étaient de plus en plus fortes et m'enserraient le bas-ventre. J'étais assise dans un lit en attendant le moment de la délivrance. Ma tante à mes côtés me soufflait les dernières recommandations :

« Patience, *munyal*, Hindou ! On te l'a déjà dit. Une Peule ne pleure pas quand elle accouche. Elle ne se plaint pas. N'oublie pas. À chaque instant de ta vie, tu dois te maîtriser et tout contrôler. Ne pleure pas, ne crie pas, ne parle même pas ! Si tu pleures à ton premier accouchement, tu pleureras à tous les autres. Si tu cries, ta dignité sera bafouée. Il y aura toujours quelqu'un pour raconter au quartier que tu es une poltronne. On serre les dents mais on ne se mord pas les lèvres. Si tu mords tes lèvres, tu pourras les transpercer au plus fort de la douleur et sans même t'en rendre compte. C'est la volonté d'Allah d'enfanter dans la douleur mais un enfant n'a pas de prix. Patience ! C'est à cause de cette douleur qu'on dit que l'accouchement est le *jihad* des femmes. C'est grâce à lui qu'on va directement au Paradis si on y laisse la vie. C'est à cause de lui qu'un enfant sera toujours redevable à sa mère. »

Et, dans la voix de ma tante, j'entendais celle de mon père, qui se superposait en prononçant les mêmes mots. *Munyal*, *munyal* ! Patience.

Je n'ai pas pleuré. Je n'ai pas crié, ni versé une larme. Je ne me suis pas plainte non plus quand ma tante m'a donné le traditionnel bain brûlant et m'a fait les massages énergétiques à l'eau bouillante censés me guérir au plus vite.

« *Munyal* ! Comme je te l'ai conseillé, Hindou ! Une nouvelle accouchée qui ne se lave pas correctement attrape immédiatement une maladie incurable. Une accouchée a le corps délicat et vulnérable. Il lui faut des massages et des bains brûlants. Pas chauds mais brûlants. L'eau doit être portée à ébullition. Il faut aussi boire de la bouillie, prendre des soupes chaudes, consommer beaucoup de viande et de lait. »

Je me laissais faire sans un mot. Mon détachement surprenait ma tante. Mon désintérêt aussi face au nouveau-né.

C'est une fille. Il paraît qu'elle est belle et qu'elle me ressemble. Pour se racheter une conduite, Moubarak a donné à la petite le prénom de ma mère. Un gendre attentionné !

J'ai changé. On dit que je suis possédée. Qu'un djinn malveillant me hante. C'est normal, une jeune accouchée a le corps fragile et sans défense. Les mauvais esprits qui soufflent ne peuvent que l'investir. Cela, on le savait déjà ! Ma famille a commencé à s'inquiéter. J'ai changé. Je ne suis pas malade. Les autres s'alarment pour rien. Je suis juste oppressée. Pourquoi m'empêche-t-on de respirer ? Je suffoque dans la pénombre de cette chambre. On dit que je suis folle. Ça m'inquiète un peu. Le suis-je vraiment ? Tous ces gens qui me tournent autour me rendent anxieuse. Ces regards inquisiteurs. Ils ont des affirmations de plus en plus tranchées sur mon état. J'ai peur des horreurs, pleines de certitude, qu'ils débitent. Je suis soucieuse. J'ai changé ? On dit que je suis folle ! Dans toute la maison, les haut-parleurs diffusent le Coran. Il y a du bruit. Beaucoup trop. Cela me donne des bourdonnements dans la tête. Trop de gens parlent en même temps. Je crie pour me faire entendre. Je hurle pour qu'on arrête ce tapage qui martèle mon cerveau. On me regarde avec tristesse. Je dois vraiment être possédée ! Ce n'est pas un bruit, c'est simplement la psalmodie du Livre sacré.

On dit que je suis folle et que j'ai changé. Cela fait combien de temps que je suis restée dans ma chambre, surveillée de près par ma tante ou par ma mère ? Combien de séances de prières ont murmuré les marabouts audessus de ma tête ? Combien de litres d'eau bénite ont-ils aspergée sur moi et m'ont-ils obligée à ingurgiter ? Combien de litres de décoction aux racines de *gaadé* m'ont-ils aussi fait boire ? Combien de kilos d'herbes ont-ils brûlés pour que j'en respire les fumées ?

J'ai l'impression d'étouffer, de chercher en vain de l'air et de ne pas pouvoir respirer. De ne voir autour de moi que des fantômes. De ne plus jamais pouvoir tenir sur mes jambes. De ne plus retenir aucune information. J'existe sans exister.

Et j'ai envie de crier sans pouvoir ouvrir la bouche, de pleurer sans avoir de larmes, de dormir sans jamais me réveiller.

On dit que je suis malade et que je ne devrais pas bouger. On dit même que je deviens dangereuse. Ce djinn qui me possède doit être un mâle, car je ne supporte plus la vue de mon mari ni d'ailleurs celle, plus rare, de mon père ou de mes oncles. Ce djinn doit être amoureux de moi ! On dit qu'il se serait probablement infiltré dans mon corps quand j'étais plus jeune. Sûrement, lors d'une visite chez mes grands-parents. Car il y a dans leur maison un grand baobab. Et l'on sait que les baobabs sont les demeures des djinns !

On confirme que je suis folle. On commence à m'attacher. Il paraît que je cherche à fuir. Ce n'est pas vrai. Je cherche juste à respirer. Pourquoi m'empêche-t-on de respirer ? de voir la lumière du soleil ? Pourquoi me prive-t-on d'air ? Je ne suis pas folle. Si je ne mange pas, c'est à cause de la boule que j'ai au fond de la gorge, de mon estomac si noué qu'aucune goutte d'eau ne peut plus y accéder. Je ne suis pas folle. Si j'entends des voix, ce n'est pas celle du djinn. C'est juste la voix de mon père. La voix de mon époux et celle de mon oncle. La voix de tous les hommes de ma famille. *Munyal, munyal !* Patience ! Ne les entendez-vous pas aussi ? Je ne suis pas folle ! Si je me déshabille, c'est pour mieux inspirer tout l'oxygène de la terre. C'est pour mieux humer le parfum des fleurs et mieux sentir le souffle d'air frais sur ma peau nue. Trop d'étoffes m'ont déjà étouffée de la tête aux pieds. Des pieds à la tête. Non, je ne suis pas folle. Pourquoi m'empêchez-vous de respirer ? Pourquoi m'empêchez-vous de vivre ?

SAFIRA

« La patience est un art
qui s'apprend patiemment. »

Grand Corps Malade

I

« Patience, *munyal*, Safira ! Souviens-toi que personne ne doit soupçonner ton ressentiment. Personne ne doit deviner ton chagrin, ta rage ou ta colère. N'oublie pas. Maîtrise de soi ! Sang-froid ! Patience ! »

Je ravale mes larmes, lève les yeux au ciel pour les empêcher de couler. Ma tante reprend :

« Toutes ces femmes vont te dévisager. Elles vont te toiser pour surprendre ton désespoir ou ton hostilité à son égard. Sans exception, elles n'attendront que le moment où tu défailliras. Tout se jouera à cet instant. Il suffit que tu montres ta peine pour qu'elles se moquent de toi. Il suffit que tu faiblisses une seconde pour que ta coépouse prenne le dessus à jamais. Il n'y a pas pire ennemie pour une femme qu'une autre femme ! Ne leur donne jamais l'occasion de mal parler de toi. Contrôle-toi, reste forte, ne faiblis pas.

— *Munyal !* ajouta une amie de ma mère. C'est dans l'épreuve qu'on te conseille de patienter. Reste stoïque face à l'épreuve. Personne, Safira, personne ne doit savoir que tu es triste. La jalousie est un sentiment honteux. Tu es trop noble pour le ressentir, n'est-ce pas ? »

Mon époux a pris une nouvelle femme.

« Séduis-le par ton comportement généreux, par ta présence agréable, par ta cuisine savoureuse. Montre-lui qu'aucune femme ne pourra jamais te surpasser. L'avantage de la polygamie, c'est qu'elle te permet de tester son amour et ton pouvoir sur lui. Tu es sa première épouse. Toutes celles qui suivront ne seront jamais aussi précieuses que toi. Aucune ne pourra vivre ce que vous avez vécu. Aucune ne pourra lui donner des enfants comme, toi, tu lui en as donnés. Tu es la privilégiée et tu le resteras toujours. Sa première épouse ! La *daadasaaré !* Tu le partageras désormais, certes. Mais un homme a-t-il jamais appartenu à une seule femme ? »

Depuis quelques minutes, les klaxons stridents des voitures pénétrant dans la grande concession retentissent dans un vacarme assourdissant où l'on entend les tambours et les trompettes des griots qui, déchaînés, chantent les louanges de Alhadji Issa et de sa nouvelle épouse. Les youyous des femmes résonnent. Les proches de la jeune mariée m'avertissent de son arrivée triomphale avec exubérance et véhémence.

Je ravale mes larmes et me lève d'un bond.

« Où vas-tu, Safira ? me souffle Halima, mon amie intime, tout autant accablée que moi.

— À la salle de bains.

— Retiens-toi. Je sais que ce n'est pas facile, mais supporte, je t'assure. »

Le miroir me renvoie un visage pâle sous le maquillage ostentatoire. Mes yeux sont cernés de khôl foncé, d'eyeliner et de mascara sombres, et mes lèvres redessinées d'un rouge vif. La tête basse, je m'appuie sur le lavabo et tente une dernière fois de me donner une contenance. Il ne faut pas pleurer car les yeux trahissent toujours les faiblesses du cœur, même les plus voilées.

Je me suis revêtue d'un nouveau pagne que Halima a récupéré de justesse chez le couturier. Un pagne écarlate, brillant, de soie fine. Souvenirs de mon récent voyage à Dubaï, mes bijoux en or étincellent sous la lumière artificielle des lampes fluorescentes. Comme, sans doute, la nouvelle mariée, mes mains et mes jambes sont tatouées d'arabesques au henné noir. Je dois apparaître dans mes plus belles parures pour affronter stoïquement une célébration que je ne dois absolument pas subir. Non, je ne me résignerai pas en victime expiatoire.

De la fenêtre, le griot vante la beauté de ma nouvelle coépouse. Ces mots me transpercent le cœur :

« Je vais vous décrire Ramla, la mariée, Ramla la belle, la brune, la gracieuse, incomparable à toute autre femme. Elle a trois parties noires, trois blanches, trois potelées et trois fines. Des gencives noires, des cheveux de jais et ses yeux noirs. Des dents blanches, des yeux blancs et des paumes de main blanches. Elle est fine de taille, on dirait une guêpe ! Elle a le cou fin, on dirait la fille d'une girafe. Et ses pieds aussi sont fins. Elle est potelée des pommettes, des bras et des fesses. Ramla, la belle, l'incomparable... »

Ma tante Diddi tambourine à la porte et me tire de mes pensées moroses :

« Safira, que fais-tu ?

— J'arrive !

— Ta belle-famille attend pour t'accompagner afin d'accueillir la mariée. »

Je répète d'un ton sourd :

« J'arrive.

— Que fais-tu, Safira ? »

Mon souffle se fait court et j'adresse à Allah une prière muette. Sans la conviction qu'elle sera exaucée. Mon Dieu, comment faire face à cette fille à peine plus âgée que ma propre fille et qui s'arroge le droit de me prendre mon époux ? Comment pourrais-je le supporter ? Comment montrer bonne figure comme l'exigent les convenances ? Que faire pour ne pas perdre la face ?

Je ravale mes larmes et me penche sous l'eau du robinet, j'avale une gorgée et respire profondément plusieurs fois afin de calmer la cadence infernale des battements de mon cœur. Puis je sors de la salle de bains, d'un pas déterminé.

Mon appartement, qui me semble depuis toujours grand et luxueux, me paraît tout à coup très exigu : on y respire à peine. Je donnerais tout pour me retrouver ailleurs. N'importe où.

Toutes sont là, proches et amies. Elles affichent un visage attristé, sincère pour la plupart. Je n'arrive pas à croire que c'est confirmé, que ce que je crains depuis des années a fini par arriver, que je vis maintenant mes pires cauchemars. Je voudrais ouvrir la bouche et hurler ma rage. J'aimerais me réveiller et réaliser que ce n'était qu'un mauvais rêve. Mais, très entourée, je m'avance vers la porte, splendide et hautaine. Non, je ne vais pas me laisser rabaisser. Je lève ostensiblement la tête et adresse un sourire rayonnant à ma belle-sœur, qui m'attend au seuil de la véranda. Puis, d'une voix assurée, je dis :

« Félicitations, grande-sœur. On a enfin une nouvelle épouse ! *Barka* Emmène-moi voir et accueillir notre nouvelle mariée, notre *amariya*. »

Les femmes ont envahi le grand appartement d'Alhadji Issa. Mes proches, assises en tailleur sur le tapis, forment un demi-cercle autour de moi. La famille de ma coépouse a fait de même. Face à moi, on dépose avec précaution la jeune mariée qu'on vient de sortir de la chambre conjugale. Elle est complètement voilée sous son *alquibbaré* brillant, mais on entrevoit dessous un pagne aussi étincelant que le mien. J'ai le temps d'apprécier la beauté de ses tatouages au henné, la pureté de son teint, la finesse de ses mains. Elle garde la tête baissée et le capuchon de son manteau recouvre entièrement son visage.

Ma belle-sœur, l'aînée de mon époux, commence :

« Safira, voilà ta nouvelle mariée.

— C'est bien, vraiment.

— C'est ta sœur ! Ta cadette, ta fille, ton épouse. C'est à toi de l'éduquer, de lui donner des conseils, de lui montrer le fonctionnement de la concession.

C'est toi, la *daada-saaré*. Tu le resteras toujours et définitivement, même si ton mari en épouse dix autres, et c'est une lourde responsabilité. Safira, la *daada-saaré* est la maîtresse du foyer. Si la maisonnée vit en harmonie, c'est grâce à son mérite. Elle jouit alors d'une grande estime. Mais si, au contraire, il y a discorde, alors ce sera de sa faute. Et c'est toi, Safira, la *daada-saaré*. En tant que telle, prépare-toi à tout supporter. La *daada-saaré* est le souffre-douleur de la maison. Elle est le pilier de la maison et de toute la famille. C'est à elle de faire des efforts, à elle d'être endurante. Elle devra intégrer à jamais la maîtrise de soi, le *munyal*. Safira, patience ! Tu es la *daada-saaré*, *jiddere-saaré*. *Munyal*, *munyal*... »

Elle se tourne maintenant vers la jeune mariée :

« Ramla, tu es maintenant la petite sœur de Safira. Sa fille comme elle est devenue ta mère. Tu lui dois obéissance et respect. Tu te confieras à elle, lui demanderas conseil et suivras ses ordres. Tu es la cadette. Tu ne prendras pas d'initiative relative à la gestion de la concession sans l'avis de ta *daada-saaré*. C'est elle, la maîtresse de maison. Tu n'es que sa petite sœur. À toi, les tâches ingrates. Obéissance absolue, patience devant sa colère, respect ! *Munyal, munyal...* »

J'acquiesce en hochant la tête, un vague sourire aux lèvres. En ce moment précis, j'aimerais étriper ma belle-sœur qui, je le sais, n'est que trop contente de ma déconvenue. Combien de fois, au cours des années, ne m'a-t-elle pas fait le reproche d'accaparer son frère ? Combien de fois s'était-elle plainte de notre bonne entente ? La colère que j'éprouve me galvanise et me redonne une nouvelle énergie.

Une parente de ma coépouse prend la parole à son tour :

« Hadja Safira, tu es la *daada-saaré*. C'est à toi que nous confions aujourd'hui notre fille. À toi de la prendre sous ton aile et de lui apprendre à être une épouse. À toi de la protéger et de l'aider. C'est ta petite sœur, ta fille. On te la confie plus qu'à votre époux car, même contre lui, tu devras la défendre.

— Oui bien sûr ! »

189

Une autre femme, cette fois entièrement voilée, ajoute :

« Un jour, un homme est venu voir le Prophète et lui a dit : "Ô serviteur d'Allah, j'aimerais vivre avec toi ; si tu acceptes, on ne se disputera jamais. Mais le jour où on le fera, on ne se réconciliera pas car je suis rancunier !" Le Prophète dans sa grande sagesse lui répondit : "Va-t'en, je ne cohabiterai pas avec toi." Un autre homme vint le voir et lui dit : "Ô serviteur d'Allah, je voudrais cohabiter avec toi ! On se disputera souvent mais on se réconciliera immédiatement." Et le Prophète d'acquiescer : "Oui ! Je pourrai vivre avec toi car Dieu n'aime pas les disputes qui s'éternisent." Tout cela, pour vous démontrer, Safira et Ramla, que, dans la cohabitation, la mésentente et les malentendus ne peuvent pas manquer. Même les dents condamnées à cohabiter avec la langue ne peuvent s'empêcher de la mordre souvent. »

Beaucoup d'autres conseils sont encore adressés à la nouvelle mariée. Enfin il est possible de se retirer. Et je sors de l'appartement de mon époux, laissant la place à une autre. Il sera à elle exclusivement pendant une semaine. Ensuite, nous commencerons une ronde et partagerons le mari.

C'est fini. L'appartement de mon époux ne m'est plus accessible. Je dois désormais attendre mon *walaande* avant d'y pénétrer, comme je dois aussi attendre mon tour pour le voir et pour discuter avec lui. J'ai le cœur serré. Je ne suis plus seule dans ma maison. Je ne suis plus une femme aimée. Je ne suis plus à présent qu'une épouse, qu'une femme de plus. Alhadji Issa, mon amour, n'est plus mon amant. Dès ce soir, il sera dans les bras d'une autre et, rien qu'à l'imaginer, je me sens défaillir. Quoi qu'il en dise, rien ne sera plus jamais comme avant. Le cœur d'un homme peut-il vraiment se partager entre deux femmes ?

Halima me pince gentiment le bras et, pendant que mes proches, installées au salon, commentent ce qu'il vient de se passer, repassant en revue les bijoux de la mariée pour mieux sonder la richesse de son père, devisant sur les membres de sa famille, dont le voile intégral remporte déjà la palme des curiosités, je me réfugie dans ma chambre où je fonds en larmes.

Halima vient à ma rescousse et ferme soigneusement la porte à clé :

« Oh Safira, ne leur fais pas ce plaisir. Tu as tenu jusqu'à présent. Tout le monde aimerait te voir abattue. Ne laisse pas les gens commenter ton chagrin. La mariée est là, certes ! Mais pourra-t-elle rester ? C'est à toi de faire en sorte qu'il regrette sa décision et te revienne rapidement. Le plus important n'est pas la cérémonie du mariage mais la suite. Rien n'assure qu'elle sera une bonne épouse, qu'elle pourra même le supporter. Après tout, ça fait presque vingt ans que tu es là. Et ça n'a pas toujours été rose !

— Elle est si jeune, si belle !

— Comment as-tu pu voir sa beauté, Safira ? Elle avait la tête baissée et couverte d'étoffes noires ! Tu délires ! Et la jalousie te joue des tours.

— Elle est si claire, presque blanche !

— Ce n'est pas pour autant qu'elle est belle. Tu as juste aperçu son teint et tu en déduis qu'elle est belle. Toi aussi, tu as la peau claire. Mais on s'en fiche. À croire que seules les plus claires sont les plus belles. Dis-moi, Safira, où se trouve la poubelle où on déverse les femmes noires afin que j'aille m'y jeter, moi et ma vilaine peau noire, ajoute-t-elle en riant pour détendre l'atmosphère.

— Je ne le supporterai pas ! Je ne pourrai pas le partager. C'est encore pire avec une si jeune femme. Plus jeune que notre première fille. Comment veux-tu que ma fille puisse être ma rivale ? Comment lutter avec sa fille ? Je suis déjà si vieille !

— Tu as trente-cinq ans. Tu n'es pas vieille. À notre âge, dans certaines cultures, les femmes ne sont pas encore mariées. Ce n'est pas pour te flatter, Safira, mais tu es encore jeune et belle. Son remariage n'a rien à voir avec toi.

— Tout allait tellement bien entre nous. Pourquoi a-t-il tout gâché ?

— Parce que c'est un homme, ma chérie. Tu te fais du chagrin pour rien, en vérité. Il couchera avec elle et, sitôt l'attrait de la nouveauté passé, il te reviendra.

— Je ne le supporterai pas. Rien qu'à l'idée qu'il...

193

— Ne sois pas naïve, Safira ! Qui te dit qu'il a été fidèle tout ce temps ? Va te laver le visage. J'entends la voix acerbe de ta belle-sœur. Elle ne sera que trop heureuse de voir tes larmes. »

À ma grande surprise, mon époux me rappela quelques heures plus tard. Avant d'y aller, je pris le temps de laver longuement ma figure à l'eau froide afin d'y effacer toute trace de larmes et me remaquillai soigneusement. Nos regards se croisèrent un instant et, le premier, il baissa les yeux. Je m'assis calmement dans un fauteuil. Mon cœur battait la chamade. Et ma rancœur fondit face à lui pour ne plus laisser place qu'à un immense chagrin. Je pris cruellement conscience de mes sentiments durant toutes ces années et de la douleur de savoir que, pour lui, la page était tournée. Je n'étais plus celle qu'il aimait et chérissait. Je n'étais plus qu'une épouse parmi ses épouses. La mère de ses enfants.

Pendant vingt années, je m'étais investie pour notre amour. De cet amour, seul subsistait désormais celui que nous éprouvions pour nos enfants.

Assis sur un canapé, il était vêtu négligemment d'un boubou d'intérieur que je ne lui connaissais pas. C'est à peine s'il leva le regard sur moi. Déjà, j'étais invisible pour lui. Il ne s'attarda ni sur mon nouveau pagne ni sur mes tatouages au henné. Il appela la nouvelle mariée et lui demanda de s'asseoir à mes côtés. Elle gardait la tête baissée, toujours voilée. Un silence pesant s'installa, troublé seulement par les soupirs et les pleurs de la jeune femme.

Avec orgueil, Alhadji dit :

« Safira, voilà ta sœur, Ramla. Je pense que tu l'as déjà vue.

— Oui.

— Qu'en penses-tu ? Elle est belle, non ?

— Très. Qu'Allah nous accorde le bonheur.

— *Amine !* Et toi, Ramla, tu as vu ta *daada-saaré* ? Je sais que vous avez déjà reçu des instructions et des conseils aussi bien de la part de vos familles que de la mienne. Mais, j'ai tenu quand même à vous réunir dès ce soir pour vous faire bien comprendre ce que j'attends de vous. Cela se résume en un seul mot : harmonie. Je ne veux absolument pas de désordre chez moi. Je n'accepterai jamais que mon domicile devienne un champ de bataille et un lieu de discorde comme il en existe tant. J'entends vivre tranquillement sans maux de tête et sans autre souci. J'entends que ma maison reste un endroit de quiétude et de sérénité comme il en a toujours été. Safira, toi, tu me connais bien. Je ne supporte ni les mésententes ni les conflits. Je vous préviens, toutes les deux, vous avez intérêt à vous entendre et à me rendre heureux. Est-ce que c'est clair ? »

Comme aucune de nous ne répondait, il se tourna vers moi :

« Safira, je tiens encore à te le redire devant ta co-épouse. Voilà vingt ans que nous sommes ensemble, et je ne me suis pas marié jusque-là. Si je le fais maintenant, ce n'est pas parce que j'ai un reproche particulier à te faire. Cela, je te l'ai déjà dit. Si je t'ai offert autant de cadeaux qu'à ma nouvelle épouse, contrairement aux usages, alors que j'aurais pu ne t'en donner que la moitié et encore, c'est justement afin que tu saches l'estime que j'ai pour toi et pour nos enfants. J'espère que tu te montreras coopérante et digne de ma confiance, comme il en a toujours été depuis des années. »

Se tournant vers la nouvelle épousée, il continua :

« Ramla, l'entente a toujours régné dans cette concession. Je t'ai épousée pour être plus heureux encore. Ne te méprends pas, ma première épouse a sa place intacte dans ma maison et dans mon cœur. J'entends que tu la respectes, que tu suives ses instructions. Si un jour tu la blesses, sache que tu m'auras aussi blessé. Elle doit jouir de toute ta considération. Si vous me rendez heureux par votre bonne conduite, je ne prendrai pas de troisième épouse. »

Il se tut un instant, puis termina en disant :

« Safira, tu peux y aller. Bonne nuit ! »

Des larmes silencieuses coulaient sur mes joues sans que je pusse les retenir. Bien sûr, je n'aimais pas que ma coépouse voit ma tristesse et ma détresse mais, après cette journée, je ne pouvais que laisser enfin exploser mon chagrin. Je venais d'être congédiée, priée de libérer la place pour la semaine réglementaire. Mon époux s'était déjà levé. Me devançant, il me raccompagna sans rien ajouter jusqu'à la porte qu'il referma soigneusement derrière moi. Les lumières s'éteignirent les unes après les autres. Je me sentis défaillir. Enjambant les femmes assises dans mon salon, je me hâtai de regagner ma chambre et m'effondrai en sanglots.

II

« Je vais à Yaoundé. J'ai des affaires urgentes à régler.

— D'accord !

— Au fait, j'emmène Ramla avec moi.

— Quoi ?

— Tu as bien entendu », dit-il froidement.

Le huitième jour, c'est mon tour. Mon *walaande !* La lune de miel instaurée par la religion est achevée et, désormais, Alhadji doit se partager entre sa nouvelle épouse et moi. Je m'apprête à revoir mon mari.

Quand il m'a annoncé son désir de prendre une nouvelle épouse après vingt années de mariage, il avait pris une décision unilatérale qui, selon lui, n'avait rien à voir avec ma personne. Il s'en est arrogé le droit et a refusé d'en discuter. Par contre, j'étais libre de refuser cet état de fait et, en ce cas, il pouvait me libérer. Or, entre son envie de se remarier et son désir de me conserver, il avait déjà fait son choix. Il m'a rappelé que je ferais mieux d'être raisonnable et sage :

« Ouvre les yeux, Safira ! m'a-t-il dit. La polygamie est normale et même indispensable pour le bon équilibre du foyer conjugal. Tous les hommes importants ont plusieurs épouses. Même les plus pauvres en ont. Tiens ! Ton père est aussi polygame, non ? Si ce n'est avec moi, ça sera toujours avec un autre. Jamais tu ne seras seule chez un homme. Si tu étais un peu reconnaissante, tu remercierais plutôt Allah d'avoir été seule pendant toutes ces années. Tu as bien profité de ta jeunesse sans partage. C'est égoïste à présent de montrer de l'amertume. Et puis, serais-tu plus sage que le Tout-Puissant qui a autorisé les hommes à avoir jusqu'à quatre épouses ? Es-tu plus importante que les épouses du Prophète qui ont accepté dignement cette polygamie ? Penses-tu être un homme pour affirmer qu'on ne peut aimer plusieurs femmes à la fois ? »

Le huitième jour, c'est mon tour d'être avec mon mari. Il le sait et a pourtant décidé d'emmener Ramla avec lui en voyage. Le huitième jour ! Rasé de près, il vient d'entrer dans mon appartement. Vêtu d'une nouvelle *gandoura* blanche richement brodée d'argent, il m'informe froidement de son voyage.

Je lui réponds fébrilement :

« Tu pars avec elle ?

— Tu n'as pas besoin de répéter ce que je viens de t'annoncer comme si c'était anormal et que tu étais surprise. On dirait presque que je commets un crime. Je te rappelle, puisque tu as la mémoire si courte, que je t'ai offert plusieurs voyages. Tu es allée à Douala il y a à peine quatre mois. Mais, je n'ai pas le temps d'en discuter. Je m'en vais. Le vol est dans une heure et l'aéroport, assez éloigné.

— C'est mon tour, ce soir ! Tu es censé être avec moi et non encore avec elle, surtout après une si longue semaine passée ensemble !

— C'était ton tour chaque jour depuis vingt ans ! fait-il. Ne commence surtout pas ce genre d'enfantillages. Tu n'as pas honte de réclamer encore une nuit ? On est marié depuis combien de temps ? En vérité, tu n'as rien compris. Je suis peut-être polygame mais, jusqu'à preuve du contraire, je suis un homme libre et je fais ce que je veux. Voilà de l'argent pour les imprévus en mon absence, dit-il, en laissant tomber sur le tapis une liasse de billets. Je ne sais pas quand je rentrerai. Je t'appellerai.

— Pourquoi ? Que t'ai-je fait pour que tu me blesses de la sorte ? Pourquoi me brises-tu le cœur ?

— Et voilà, ça recommence ! Le mélodrame te va à ravir, ma parole. Mais regarde-toi, Safira ! On a l'impression que tu es en deuil. Regarde comment tu es accoutrée. Et tes yeux ? Depuis quand n'ont-ils pas vu de khôl ? Tu penses que c'est ainsi que tu vas me séduire ? Tu as intérêt à te ressaisir – et immédiatement. Je n'ai pas le temps d'en discuter pour le moment mais tu me déçois énormément. Je t'espérais plus digne que ça. On dirait que tu es la première femme à avoir une coépouse ! Ça fait juste une semaine que Ramla est là, et regarde-toi ! N'importe quoi, ajoute-t-il en voyant mes larmes couler. Tu frises le ridicule. Je n'ai pas envie de m'énerver, alors, à bientôt ! »

Et il tourne les talons comme pressé de disparaître. Dans le salon déserté, les effluves de son parfum capiteux s'attardent encore. Je me retire dans ma chambre. Par la fenêtre, je l'aperçois tout joyeux, saluant ses « courtisans », plus intimes que des employés mais moins que des amis, des hommes acquis à lui, qui occupent la concession tous les jours, qu'il soit présent ou non. Leur rôle ? Lui apporter les dernières nouvelles du quartier, lui tenir compagnie, se rendre disponibles pour des courses confidentielles ou de première importance. De bonne humeur, mon mari ordonne au chauffeur de sortir sa plus belle voiture, dernière acquisition arrivée il y a un mois de Dubaï. Je le vois souffler un mot à son homme de main qui, aussitôt, s'éclipse et revient quelques minutes plus tard avec la nouvelle épouse. Je pleure en silence sans chercher à retenir mes larmes.

Ramla est belle. Son profil se découpe dans la lumière du jour, qui illumine sa peau soyeuse. Vêtue d'un nouveau pagne brodé, elle porte de magnifiques bijoux en or. Ses chaussures à talons hauts sont assortis à son sac à main. Elle a dû renforcer ses tatouages au henné noir car les dessins se détachent joliment sur son teint clair. Élégante, bien maquillée, elle entre sans timidité dans la voiture à l'arrière au côté de son époux, qui rayonne de bonheur. En revanche, Ramla est triste.

Je reste là, debout devant la fenêtre, bien après que la voiture a disparu. C'est ma dernière fille, Nadia, qui me tire de mes pensées :

« Maman ! Maman, tu regardes quoi ?

— Rien. Va jouer et laisse-moi tranquille ! J'ai besoin de me reposer.

— J'ai vu la nouvelle tantine. Elle est partie avec Baaba.

— J'ai compris, va jouer !

— Elle est belle, elle est gentille aussi. Quand je suis allée à son appartement,

204

elle m'a donné un biscuit. Son appartement est très joli.

— Je suis très fatiguée, Nadia. Sois sage ! Va jouer dehors avec tes frères, s'il te plaît. J'ai mal à la tête.

— Et aux yeux aussi ? Ils sont rouges. Tu as peut-être attrapé *appolo*, une conjonctivite, comme moi la dernière fois ?

— Oui, c'est ça ! Tu as vu ? J'ai attrapé *appolo*. C'est pour ça qu'il faut que je me repose. Tu te rappelles comme ça fait mal. Va jouer avec ta poupée. Si tu es bien sage, je te ferai un cadeau à mon réveil. »

Après avoir passé une heure à tourner dans ma chambre, ma tristesse a fini par se transformer en fureur. Je ne vais tout de même pas le laisser se moquer de moi comme ça ! Non, je ne vais pas me laisser humilier partout, en ville. Au fur et à mesure que je fais le point sur ma situation, mon indignation et ma hargne s'accroissent. Dès que tous apprendront qu'il est parti avec la nouvelle mariée dès le huitième jour, qu'elle est devenue déjà la favorite, je perdrai l'estime que tous me portent. Et ce n'est pas possible !

Je les imagine tous les deux, à présent assis, côte à côte, en première classe dans l'avion qui les emmène à la capitale. J'imagine les regards envieux que lui lancent les autres hommes à la vue de cette mariée si jeune et si belle. Je vois ses yeux briller d'orgueil. Je me revois à ses côtés, il y a à peine six mois. J'étais alors tellement heureuse et sereine dans cet avion, loin de m'imaginer que je serais bientôt remplacée.

Le miroir de ma chambre me renvoie mon image. Le pagne que je porte, quoique de grande valeur, ne me flatte pas. Mon visage est pâle et, en l'espace de quelques jours, des plis barrent mon front. Quelques rides fines apparaissent déjà au coin de mes lèvres. J'ai vécu six grossesses qui ont eu raison de mon ventre plat d'autrefois. Mes bras ne sont plus aussi fins et, bien sûr, je traîne quelques kilos en trop. J'ai à peine trente-cinq ans mais, en une semaine, je parais en avoir pris dix de plus. Je me sens si vieille. Par contraste, je revois encore Ramla, jeune et si bien apprêtée.

Je compare sa peau à la mienne devenue terne. Je me rappelle ses cheveux tressés finement descendant jusqu'à la taille et je me souviens de son profil fin, de sa bouche pulpeuse et de son nez droit. Comment me confronter à une telle rivale ?

Je finis par appeler mon frère au téléphone, puis ma mère et, enfin, Halima, et je les prie de venir me voir au plus vite. Je ne vais plus me laisser faire, ça sera difficile mais je me battrai avec les armes que je trouverai. Je décide de tenir un conseil de guerre. Je convoque mon état-major.

Mon frère Hamza se présente le premier. D'une voix froide, je lui explique ma décision. Il ira voir notre lointain oncle, celui qui est marabout et vit à Wouro Ibbi, une bourgade de la région de Maroua. Je ne veux pas seulement faire revenir mon époux à de meilleurs sentiments et être sa favorite. Je veux que mon oncle me débarrasse de ma rivale. Car il n'est pas question pour moi de partager mon mari.

« Dis-lui que je suis prête à tout. Je donnerai tout ce qu'il voudra. Je ferai tout ce qu'il demandera. Je veux seulement qu'elle parte ! Immédiatement ! Qu'Alhadji la répudie ! Reste là-bas le temps qu'il faudra. Tu as cinq cent mille francs dans cette enveloppe. N'hésite pas à dépenser. Même s'il demande un bœuf en sacrifice, fais-le ! L'argent n'est rien. Je veux qu'elle se casse ! Rappelle-toi bien son nom, celui de sa mère et celui de son père aussi pour qu'il lui jette un sort.

— J'ai compris, grande sœur. Ne t'inquiète pas. Je ferai tout ce qu'il faut.

— Je te fais confiance. Reste là-bas le temps qu'il faudra. »

Une heure plus tard, ma mère à son tour franchit discrètement le seuil de ma porte. À peine l'ai-je aperçue que je lui lance, très agressive :

« Diddi, débrouille-toi, il faut qu'elle parte.

— Safira, fais attention ! Ne fais pas de mal à autrui, ça peut se retourner contre toi. Attention aux *siiri* ! Lancer un mauvais sort est une pratique dangereuse.

208

— Je m'en fiche. Je suis prête à tout car je refuse cette humiliation.

— La polygamie n'est pas une honte pour une femme. *Munyal !* Maîtrise-toi, Safira. »

En contenant à peine ma colère, je lui annonce alors d'une voix sourde :

« Alhadji est parti avec elle à Yaoundé.

— Quoi ? Il est parti aujourd'hui ? Avec elle ? Déjà ?

— Apparemment les sept jours légaux n'étaient pas suffisants pour lui. Il préfère rechercher la tranquillité ailleurs – avec elle et sans partage.

— Laisse-le. C'est l'attrait de la nouveauté. Bientôt ce sera fini, et il comprendra que c'est toi qu'il aime. C'est avec toi qu'il a toujours vécu et il te reviendra plus amoureux que jamais. Juste un peu de patience.

— Je ne veux pas patienter, dis-je très irritée. Ne me parlez plus jamais de *munyal*. Je ne patienterai pas jusqu'à ce que son caprice finisse, comme tu dis. Je n'ai pas de temps pour attendre je ne sais quel hypothétique moment. Je veux qu'elle parte immédiatement. Je veux que tu fasses un *karfa* entre eux, que ce mauvais sort les sépare, qu'ils se déchirent à Yaoundé. Je veux qu'il regrette ce mariage. Je suis prête à perdre tout ce que je possède pour cela. Je ne perdrai pas mon honneur.

— Tu me fais peur, Safira. Comment as-tu pu changer ainsi seulement en une semaine ? Laisse-moi te raconter une histoire. Écoute-moi. Voilà ce qu'on raconte à toutes les femmes mariées quand elles éprouvent le besoin de recourir à l'ésotérisme.

« Un jour, une femme va voir un marabout et lui dit : "J'ai besoin que mon époux m'aime et me soit fidèle." Le marabout lui demande de lui rapporter trois brins de moustaches d'un lion afin qu'il lui confectionne une amulette. La femme réfléchit et cherche longuement la solution pour approcher sans danger la tanière d'un lion solitaire. Elle a l'idée de poser de la viande fraîche à quelques mètres de la tanière et repart rapidement pendant que le lion mange. Chaque jour, elle fait de même, se rapprochant de lui toujours un peu plus. Au bout d'un certain temps, le lion s'habitue et l'attend. Puis il se laisse caresser et elle finit par l'apprivoiser. C'est ainsi qu'elle peut prélever ses moustaches sans que le fauve montre le moindre signe d'hostilité.

« Quand elle rapporte au marabout ce qu'il a demandé, ce dernier la renvoie en lui disant : "Si tu as pu apprivoiser un lion, ce n'est pas ton mari, un pauvre homme, qui te dépassera. Agis exactement de la même manière avec lui et il sera à toi à jamais. Si tu as pu obtenir ces moustaches, c'est parce que tu as eu les meilleures qualités qu'une femme puisse avoir : la patience et la ruse. Occupe-toi de ton mari comme d'un enfant. Apprivoise-le comme ce lion que tu as apprivoisé. Sois patiente, rusée, intelligente. Et jamais il ne pourra se séparer de toi. Voilà le secret pour s'attacher un mari. Aucune amulette ne le vaudrait."

— S'il te plaît, Diddi, arrête ! Je connais déjà cette histoire. On me l'a racontée lors du mariage de mon mari. On m'en a rabâché les oreilles. Chaque femme qui venait me donnait ce conseil. Parfois, le lion était une vipère, parfois une hyène. Mais c'est la même histoire. Ne comprends-tu pas

211

ce que je viens de te dire ? dis-je, exaspérée. Je te répète qu'il est parti avec elle en voyage alors qu'elle vient à peine d'arriver et qu'avant de partir, il en a profité pour me dénigrer et m'insulter. Elle prend de l'emprise sur lui et tu me parles de patience, de ruse et de je-ne-sais-quoi ! »

En entendant ces mots, le regard de ma mère, doux d'habitude, devient froid. Elle connaît aussi les travers de la polygamie et en a souffert. D'ailleurs, elle en souffre toujours. Mon père, depuis son remariage avec une jeunette de vingt ans, n'a plus d'yeux que pour sa nouvelle épouse. À peine cinquante ans, et ma mère a été reléguée au second plan. Maintenant, mon père l'ignore complètement. La nouvelle venue la méprise et ne se gêne pas pour aller chez mon père à toute heure, peu importe que ce soit son *defande* ou non. La seule fois où ma mère a osé se rebeller, mon père l'a tellement abreuvée d'injures devant sa rivale qu'elle s'est jurée de l'ignorer à jamais. Depuis cinq ans, ma mère n'a plus de *walaande* et regarde, impuissante, sa coépouse s'accaparer complètement son mari.

« Diddi, comprends-moi. Je ne veux pas finir comme toi. Cette fille après une semaine de mariage est déjà sa favorite.

— As-tu de l'argent ? J'irai dès ce soir consulter l'imam de la grande mosquée, Oustaz Sali. Il te faut des prières et des sacrifices. Qui sait ? Peut-être que sa famille a déjà fait quelque chose et que ton époux est envoûté.

— On aurait dû commencer par là dès qu'on a été au courant de son projet. Peut-être alors, aurions-nous pu empêcher tout ça.

— Je m'en rends compte à présent. J'aurais dû y penser. Ne t'inquiète pas, je m'en occupe.

— Ne recule devant rien !

— Que veux-tu dire par là ?

— Qu'ils divorcent ! Sinon, qu'elle s'en aille à jamais, qu'elle perde la raison ou qu'elle meure ! Au choix ! Ne te contente pas d'Oustaz Sali. Cherche au moins trois autres marabouts.

— Qu'elle meure ? Oh non, Safira ! Tu n'iras pas jusqu'au meurtre ? réagit-elle effrayée.

J'insiste, les poings serrés :

— Je ne veux pas finir comme toi. Si elle ne part pas, alors qu'elle meure ! »

Halima ne cache pas son indignation quand, assise sur le lit, je lui rapporte la scène du matin avec Alhadji, puis ma conversation avec ma mère.

« Il est donc parti avec elle ! En plus, il t'a insultée.

— Il a fait pire. Il m'a dit qu'il s'en fichait de ce que je pouvais ressentir et m'a dit que j'étais ridicule quand je n'ai pas pu retenir mes larmes. J'espère que cet avion s'écrasera avant d'avoir atterri !

— Chut, Safira ! Tu ne dois pas dire des choses comme ça. C'est quand même le père de tes enfants, et tu l'aimes, quoi que tu en dises. Tu ne peux pas vouloir sa mort quand même !

— Je le préfère mort que de le savoir dans les bras de cette fille. Si tu la voyais ce matin avec son air de sainte-nitouche.

— Tu l'as vue, cette fois ? Comment est-elle ?

— Jeune et belle.

— Comme toi, en somme. Comme toutes ces femmes qu'épousent les hommes riches.

214

— Quand il m'a épousée, oui, j'étais aussi jeune et aussi belle. Aujourd'hui, je me sens vieille. Et lui est si jeune qu'il lui faut une épouse de l'âge de nos filles.

— Vieille à trente-cinq ans ? Et lui, jeune à cinquante ? Il est vrai que les hommes disent qu'ils peuvent avoir des épouses jusqu'à quatre-vingt-dix ans. Soit ! Ce n'est pas le moment de te convaincre. Tu disais au téléphone que tu avais une urgence. Désolée de ne pas être venue à temps. J'étais occupée moi aussi avec mon salaud de mari.

— Qu'est-ce qu'il a fait ? Arrête de le traiter de salaud. C'est un homme très gentil et il ne t'a jamais rien fait.

— Qu'Allah l'empêche à jamais d'avoir des moyens, qu'il nous maintienne dans la pauvreté et nous préserve de la richesse. Ne te leurre pas ! Il n'est pas différent du tien. Tous les hommes sont nés d'une même mère, ils se ressemblent. Il n'a juste pas l'argent nécessaire pour se comporter en macho ! Bref, ne parlons pas de lui. Que voulais-tu ? »

J'ouvre un tiroir et en sors un écrin, dans lequel se trouve une parure étincelante. Un ensemble en or offert par mon époux lors d'un pèlerinage commun à la Mecque, il y a quelques années.

« Il faut que tu arrives à me vendre discrètement cette parure. J'ai besoin d'argent. De beaucoup d'argent !

— Mais pourquoi, Safira ? Que vas-tu faire de cet argent ? Pourquoi veux-tu te séparer de ces bijoux magnifiques ? Et, en plus, tu l'adores cet ensemble !

— Je l'adorais ! C'était le symbole de notre amour. Aujourd'hui, ce n'est rien d'autre qu'un bijou. Que dis-je, rien d'autre que de l'or ! C'est-à-dire de l'argent ! Des bijoux, j'en ai à la pelle. Je suis prête à tous les sacrifier pour récupérer mon époux. Récupérer l'homme. Pas l'amour. Lui est mort et perdu à jamais. Il l'a tué de ses mains. Que dis-je ? Non ! De son sexe ! »

Halima éclate d'un rire sonore puis, redevenant sérieuse, elle secoue la tête et dit :

« Tu es incroyable, toi, mais fais attention ! Si tu te lances dans ces histoires de maraboutage et de *siiri*, tu n'en sortiras plus. Tu risques de tout perdre et, pire, ça pourrait retomber sur toi ou tes enfants.

216

— Dis-moi, Hali, que veux-tu que je fasse ? Que je regarde gentiment cette fille à peine plus âgée que ma fille me prendre mon époux ? Que je perde mon foyer ? Que je prenne le risque de faire souffrir mes enfants en me laissant répudier ? Ils sont trop jeunes pour vivre sans leur mère. Que veux-tu que je fasse, Hali ? Que je reste les bras croisés à attendre qu'il se débarrasse de moi ? Que je me laisse mourir de chagrin comme notre amie Mariam quand son époux s'est remarié ? Et, après ma mort comme après la sienne, qu'il en profite pour en prendre une troisième qu'il installera dans mon propre appartement, m'effaçant à jamais de sa mémoire ? On ne meurt qu'avec la volonté d'Allah, dira-t-il alors ! Que veux-tu que je fasse ? Qu'est-ce qui est permis ? Qu'est-ce qui ne l'est pas ? Quand on est en guerre, on n'est pas regardant sur le choix des armes. On prend ce qui est à notre portée et on avance avec. Et cette fille ? À quoi s'attendait-elle quand elle a décidé d'épouser un homme marié ? Elle pensait que j'allais le lui laisser gentiment, c'est ça ? Je n'ai pas choisi d'en arriver là. On ne m'en laisse pas le choix. Je me défends, tout simplement. Je l'aimais. J'ai fait de mon mieux pour le satisfaire. J'ai été une bonne épouse. Une excellente mère. Je lui ai donné des enfants intelligents, en bonne santé, des deux sexes. Je l'ai réconforté, je l'ai aimé de tout mon cœur, de toute mon âme. Que voulait-il de plus ? Je ne suis pas méchante. On m'oblige à l'être. Je n'ai pas choisi de faire cette guerre. Mais m'en laisse-t-on le choix ? »

Essoufflée, je me lève et bois de l'eau à même le goulot d'une bouteille posée à proximité et j'enchaîne :

« Que veux-tu que je fasse ? Quel est mon champ d'action ? Quelles sont mes marges de manœuvre ? Ai-je vraiment le choix ? Que vaut le soi-disant *symbole d'amour* d'un homme quand on risque de le perdre à jamais ?

— Combien en veux-tu ? » conclut Halima en refermant l'écrin d'un coup sec.

III

Je suis la *daada-saaré*. La nouvelle venue me voue une certaine déférence. C'est une fille calme, introvertie. Dans ses yeux, je surprends souvent une pointe de tristesse que je refuse de voir. Hypocrisie.

Elle semble plus à l'aise avec les enfants et bavarde beaucoup avec eux. Cela ne me plaît pas que mes filles l'apprécient autant mais je ne peux pas les empêcher d'aller chez leur marâtre au risque de m'attirer la foudre d'Alhadji. En plus, il me faut faire semblant jusqu'au bout. Jamais je ne montrerai à cette femme que je la déteste.

Je suis la *daada-saaré*. J'ai expliqué à Ramla le fonctionnement de la grande maison. Je l'ai aidée à s'installer dans notre routine. J'ai gardé à chaque fois mon sang-froid et lui ai montré un visage avenant. Je lui ai donné des conseils et me suis rendue disponible.

Alhadji a changé, même s'il s'évertue à crier le contraire. Il est beaucoup moins posé, ne m'accorde plus autant de temps qu'auparavant. Quand mon tour arrive, il se montre moins attentif, semble ailleurs. Et puis, il ne me plaît pas de voir les comprimés qu'il avale, ces fortifiants et ces aphrodisiaques dont il dépend désormais.

J'ai fini par m'habituer à le partager. L'insomnie des débuts pendant les tours de l'autre, les crises de larmes et mon dégoût quand il me touche se sont estompés au fil du temps, mais ma détermination n'a pas faibli. Je veux toujours que tout reprenne comme avant. Il faut seulement que Ramla parte. Il ne faut surtout pas qu'elle tombe enceinte. Chaque enfant qu'elle aura ne fera que diminuer l'héritage des miens. Le nouveau rejeton ne pourra que restreindre l'amour que leur porte leur père. Je suis obligée de le partager mais je ne veux pas que mes enfants le partagent aussi ! Je suis attentivement son cycle. Je sais quand vont arriver ses règles. Et, ces jours-là, stressée, je surveille, je guette pour savoir si elle continue bien ses prières car, si elle le fait, c'est qu'elle est enceinte. Mon cœur se desserre quand je la vois ignorer l'appel du *muezzin*. Je respire alors sereinement. Du moins jusqu'au terme de son prochain cycle.

Les mauvais sorts n'ont pas marché pour le moment. Mais mes bijoux, eux, disparaissent les uns après les autres. Je dépense de plus en plus. Je change en effet de marabout dès que je n'obtiens aucun résultat et je m'engouffre chez un autre dès que sa réputation parvient jusqu'à moi. Il me faut de l'argent. De plus en plus d'argent pour aller au bout de mes projets mystiques. Le temps tourne, et Ramla non seulement ne bouge pas mais semble même avoir trouvé une certaine assurance. Elle s'installe !

Il me faut de l'argent et, justement, c'est la période de la *zakat*, l'aumône obligatoire. Une période de stress pour

Alhadji Issa mais faste pour moi car c'est la seule de l'année où je peux me renflouer sans attirer l'attention. Depuis cinq jours, les plus démunis de toute la ville accourent à la maison. Ils passent leurs journées et même, pour certains, leurs nuits à l'extérieur de la concession assis à même le sol, sans rien dire. Rien ne les en dissuade, même pas le soleil brûlant de l'après-midi. Ils attendent tous patiemment le moment où commence la distribution tant attendue. Chaque fois que les lourds portails de la concession s'ouvrent, ils se lèvent tous en même temps, parlent, crient et se bousculent. Les gardiens ont beau les repousser sans ménagement, cela ne calme pas leur enthousiasme. Et les femmes s'agglutinent aussi pour guetter si commence enfin la distribution des billets de banque. Car, comme chaque année, Alhadji confie à un de ses employés le soin de préparer les enveloppes destinées aux imams, aux pères de famille ainsi qu'aux personnes connues pour être dans la nécessité. Chaque matin, avant de sortir, il me laisse un ou deux millions à distribuer aux personnes qui s'empressent alors à l'extérieur. Depuis toujours, je sais que je n'ai pas le droit à l'argent de la *zakat*. En tant qu'épouse d'Alhadji, je n'ai pas le droit d'en disposer. C'est pour cette raison qu'il n'hésite pas à me le confier. Et, pendant des années, j'ai distribué cet argent comme je me devais de le faire. Mais, aujourd'hui, j'en ai besoin. Et les sommes que je soutire sur le montant qu'il m'accorde pour les courses ou, plus discrètement, des poches de ses *gandoura* ne me suffisent plus. Je n'hésite pas à rouvrir les enveloppes, l'une après l'autre et je diminue de moitié les sommes qui sont à l'intérieur, puis je referme l'enveloppe soigneusement. Je n'hésite pas à soudoyer le maître coranique des enfants chargé de la distribution. Je le convoque dans le salon après le départ d'Alhadji.

« Malloum, tu dois aller distribuer l'argent aux pauvres à l'extérieur. Pardon, fais attention à ce qu'il n'y ait pas de bousculade. Tu te rappelles que, l'année dernière, il y a eu des morts dans la cour d'Alhadji Sambo lors de la distribution de la *zakat*. Alhadji tient à ce qu'il n'y ait pas de scandale chez lui. Débrouille-toi pour bien le faire comprendre à ces gens.

— Oui, Hadja. Je les mets toujours en garde que, s'ils ne se calment pas, je rentre avec l'argent.

— Bien. Tu es un garçon intelligent et je te soutiens. Je préfère être honnête envers toi. Alhadji m'a donné ce matin deux millions à distribuer. Mais je garde un million. Ce n'est pas pour moi. C'est pour augmenter la part qui revient à ma famille dans le besoin, et je ne veux pas en parler à Alhadji. Toi aussi, tu peux prendre deux cent mille pour tes besoins personnels. Ça restera entre nous.

— Oui, bien sûr, Hadja, fait le garçon, pas mécontent de soutirer avec ma bénédiction une part de la *zakat* destinée aux plus démunis.

— Si par hasard il te pose la question, je t'ai remis deux millions que tu as bien distribués aux ayants droit. Comme d'habitude. Cinq mille francs pour les femmes, dix pour les hommes.

— Je le fais tout de suite, Hadja. Faites-moi confiance. »

Je suis la *daada-saaré*. Ça mérite bien quelques avantages. Et la *zakat* en fait partie.

IV

Je suis à présent de près le renfloue-
ment du coffre de la maison. Alhadji
l'approvisionne régulièrement et retire
l'argent selon les besoins. Il nous a montré, à Ramla et à moi, comment l'ouvrir
ainsi que le lieu où il garde les clés, en
cas de nécessité si nous avions besoin
d'argent en son absence. Or les urgences,
il n'est pas question de les attendre, je
sais les créer par moi-même. J'ai appris
la ruse et j'en use. J'emmène souvent les
enfants chez le dentiste et fais gonfler
la facture. Je demande aux médecins de
me prescrire des médicaments pour des
maladies imaginaires, que je fais surfac-
turer à la pharmacie du coin. Les produits de gros, en stock dans le magasin de

la maison, n'échappent pas à mon imagination débordante par temps de guerre ! Si les employés au marché s'étonnent de la quantité d'huile, de sucre, de riz ou de lait que je réclame pour la concession, ils se gardent bien de la moindre remarque. Je suis la *daada-saaré* et je demeure puissante. Ils n'ont aucun intérêt à entrer en conflit avec moi. De plus, je les protège et j'ai le cœur sur la main. Alhadji ne s'attarde pas sur les dépenses courantes de la concession car j'ai toujours su être modérée et raisonnable. Mais ça, c'était avant son remariage ! Je guette la moindre opportunité.

Or, un jour, je trouve des liasses de billets en euros dans le coffre. Je sais que cela vaut beaucoup d'argent, en comparaison avec les francs CFA, la devise nationale. Il y a quelques semaines, à mon grand dam, Alhadji a emmené Ramla à Paris. Je n'y suis jamais allée. Quand j'ai demandé pourquoi il ne m'y avait pas emmenée, moi, il m'a répondu simplement que je n'avais rien à y faire. Je ne suis pas instruite. Je parle à peine le français. Quel intérêt y aurait-il pour moi d'aller en Europe ? Cet argent étranger, ce doit être ce qui reste de leur escapade. Ramla est rentrée avec des bagages pleins à craquer, et Alhadji m'a seulement tendu du parfum pour moi et des friandises pour les enfants. Juste de quoi exacerber mon indignation et ma colère ! Les mauvais sorts n'ayant toujours pas provoqué les résultats escomptés, j'envisage de créer de graves ennuis conjugaux à Ramla. Et une idée vient de germer dans mon esprit. Elle est si lumineuse que j'éclate de rire. Je vais garder les euros du coffre.

Dès qu'Halima entre dans mon appartement, je ferme aussitôt la porte à double tour. Puis je chuchote :

« Tu connais la valeur de ça ?

— Oh mon Dieu, Safira ! C'est beaucoup d'argent. Ce sont des euros !

— Ça fait combien ? dis-je avec frénésie.

— Dix mille euros ! Environ six millions de nos francs. Tu les as volés chez Alhadji ?

— Hummm, Hali ! Je te rappelle que le vol n'existe pas dans le mariage. Je suis juste en train de préparer ma vengeance.

Je n'ai pas besoin d'utiliser cet argent dans l'immédiat.

— Qu'as-tu donc l'intention d'en faire ?

— Tu verras ! Il m'a traitée d'illettrée pour partir en Europe avec sa jeunette. Je vais lui montrer que je le suis. Peux-tu cacher cet argent ? Je n'ai confiance qu'en toi. Personne ne doit jamais savoir. Tu dois être prudente.

— Je sais où le garder. Tu peux être tranquille.

— Il peut être fou, imbu de sa personne et avare. C'est possible qu'il fasse fouiller chez toi, connaissant nos relations.

— Là où je le garderai, fais-moi confiance, Safi, il ne le trouvera jamais. »

Quand mon époux découvrit le forfait quelques jours plus tard, il se mit à tempêter, à gronder. Il était complètement déboussolé. C'était le tour de Ramla. Les cris envahirent la concession. J'avais immédiatement compris ce qu'il se passait mais je ne bronchais pas. Je jubilais intérieurement du mauvais quart d'heure que passait ma coépouse. Quelques instants plus tard, il me convoqua et, tranquillement, je me rendis dans ses appartements. Il était debout, en rage ! Ramla, assise dans un fauteuil, pleurait. C'est à peine si elle leva les yeux à mon arrivée. Je m'assis à côté d'elle en signe de solidarité. L'union sacrée dans l'adversité !

« Quand as-tu ouvert le coffre pour la dernière fois, Safira ? questionna-t-il, furieux.

— Il y a une semaine, je crois. Tu m'avais demandé de te sortir un million. Tu étais avec ton frère autant que je m'en souvienne.

— Combien y avait-il dans le coffre ? Qu'est-ce que tu as vu exactement ?

— Je ne sais pas. Je n'ai pas compté l'argent. J'ai juste pris le million parmi d'autres liasses. Il y avait aussi les bijoux que je garde là, ceux de Ramla et ceux que tu as achetés aux filles. Et puis, il y avait également d'autres liasses mais je ne connais pas ça.

— Cet argent a disparu. Ce sont des euros ! Il y en a au moins pour six ou sept millions. Je suis rentré avec d'Europe. Ce n'est pas toi qui les as pris par hasard ?

Vous êtes les seules à avoir les clés du coffre. Vous avez intérêt à avouer !

— Disparu ? Je n'y suis pour rien, Alhadji, et tu le sais. Ce n'est pas après vingt-deux ans de mariage que je vais commencer à voler. Et si je devais le faire, je prendrais sans doute ce que je connais. Ne me mêlez pas à vos affaires ! D'ailleurs, c'est la première fois que j'entends parler de ces euros.

À ces mots, Ramla se lamente de plus belle. Je lui lance à peine un regard.

— Je n'ai pas pris cet argent, dit-elle, suffocante.

— Je ne l'ai pas pris non plus.

— Seriez-vous prêtes à jurer sur le Coran ? » demande-t-il, une lueur étrange dans le regard.

L'islam est toujours le dernier recours pour débusquer la vérité ! Jurer sur le Livre est une chose extrêmement grave, et on ne l'exige qu'en des cas très rares qui le justifient. Jurer sur le Coran peut faire peser de lourdes menaces, exposer même à l'anéantissement de toute une famille. Quoique sachant son égoïsme et sa relation privilégiée avec l'argent, je ne m'attendais pas à ce qu'il en vienne à cette extrémité. Je décide donc de jouer la carte de la stupeur :

« Jurer sur le Coran ? Tu blagues, Alhadji. Jamais je ne jouerai avec le Coran ! dis-je me levant, aussi indignée que lui. J'ai des enfants, moi !

— Je ne peux pas poser la main sur le Coran avant que ma famille ne me le permette, déclare aussi Ramla, d'une petite voix.

— C'est surtout parce que vous savez que vous n'êtes pas innocentes. Rentrez dans vos appartements. Je vous rappellerai tout à l'heure. À vous de voir si vous voulez un scandale ou si vous préférez qu'on s'arrange entre nous.

— Il y a aussi les domestiques ! fait remarquer Ramla. Eux aussi peuvent voler. »

J'ajoute aussitôt :

« Il y a aussi tes chers compagnons qui sont toujours là. Mais eux bien sûr, tu ne les soupçonnes pas.

— Vous êtes les seules à avoir les clés du coffre.

— Les clés restent toujours au même endroit, remarque Ramla.

— Un endroit même pas caché…

— Disparaissez de mon regard. Je vous rappelle tout à l'heure. Allez réfléchir ! »

Sans échanger un regard, nous regagnons nos appartements respectifs. La détresse de ma coépouse me fait jubiler intérieurement, et j'ai toutes les peines du monde à cacher ma joie. Enfin elle aussi vit les revers du mariage.

Elle est à peine mariée depuis un an. Leur lune de miel est définitivement terminée. Et les menaces d'Alhadji me laissent de marbre. Je suis trop habituée à ce qu'il fulmine – et à ses humeurs.

Plus tard, Alhadji entre dans mon appartement, suivi de deux employés. Il me demande de sortir. Ensemble, ils retournent l'appartement de fond en comble. Sous son œil inquisiteur, ils soulèvent les tapis, examinent le plafond, renversent les vêtements des penderies, ouvrent tous les bibelots sous les yeux des enfants horrifiés. Je reste impassible.

Puis ils font de même chez Ramla. Ils ne trouvent rien, ce qui exacerbe la fureur de notre époux. Alors il nous convoque à nouveau.

Ramla a les yeux rouges d'avoir trop pleuré. Elle a l'air complètement

bouleversée. Il nous considère longuement, puis commence :

« Je vous faisais confiance. Tous les
hommes de ce pays cachent leur fortune à leurs épouses. J'ai fait de mon
mieux. Vous ne manquez jamais de
rien. Comment pouvez-vous me voler ?
Je réitère ma question. Qui de vous a
pris cet argent ? Celle qui avouera sera
pardonnée. Si vous persistez à nier, les
conséquences seront graves pour vous
car je ne manquerai pas de le découvrir.
Je consulterai les marabouts, je prévien-
drai la police, je ferai tout pour trouver
la coupable. Safira, suis-moi. »

Il s'isole avec moi dans le deuxième
salon.

« Alors ? Tu as quelque chose à dire ?

— T'ai-je déjà volé au cours de ces
vingt-deux années ? Avant que tu ne te
remaries, as-tu perdu quelque chose ?

— N'en profite pas pour régler tes
comptes. On n'est pas en train de repar-
ler de mon mariage.

— De toute façon, tu l'as dit : je suis
une illettrée. Je parle à peine français
pour aller en Europe. Que ferais-je de
ces euros ? Pour aller où ? Si je devais

235

voler, je prendrais ce que je connais. Rappelle-toi que je suis *illettrée*. Je ne connaissais même pas cet argent avant que tu m'en parles ! Tu ferais mieux de demander des explications à ceux qui ont fréquenté les bancs de l'école et qui sont assez instruits pour aller à Paris. »

Et je tourne les talons.

Il reste figé, statufié par mon assurance et mon audace. Regagnant le premier salon, je glisse d'un ton narquois à Ramla :

« Ton mari t'attend au deuxième salon ! »

Ne pouvant nous confondre, de plus en plus énervé, *notre* époux tempête, gronde, menace sans rien obtenir. Ni Ramla et moi encore moins, nous n'acceptons de jurer sur le Coran, préférant de loin affronter sa foudre que celle d'Allah. Alors, en dernier recours, à la tombée de la nuit, il nous convoque une dernière fois. Cette fois, il n'élève pas la voix. Il nous considère longuement de son regard froid. Son visage fermé n'augure rien de bon. Ramla s'assied sur le fauteuil le plus éloigné, terrorisée. C'est à peine si elle arrive encore à garder ses yeux ouverts, tant ils sont enflés d'avoir pleuré. Alhadji, laissant son regard austère nous balayer l'une puis l'autre, nous questionne avec fermeté :

« Alors, Safira, as-tu quelque chose à dire ?

— Rien. »

Et je le regarde droit dans les yeux.

« Et toi, Ramla ? » fait-il, en se tournant vers ma coépouse.

Elle ne dit pas un mot et s'effondre en larmes.

« Alors, je vous répudie toutes les deux. Car vous êtes complices. Vous vous liguez contre moi pour me voler. Préparez-vous, le chauffeur va vous reconduire immédiatement dans vos familles. Je n'ai plus rien à dire. Vous pouvez partir. »

Ramla ne riposte pas. Elle se lève sans un mot et regagne son appartement. À peine dix minutes plus tard, elle ressort et monte dans la voiture. Je reste tranquillement, assise. Après le départ de ma coépouse, le visage fermé, Alhadji me regarde avec dédain :

« J'ai dit que je vous répudiais toutes les deux. Ta coépouse est déjà partie. Tu attends quoi ? Va-t'en ! »

— Tu es injuste. Tu es milliardaire et tu as eu cette fortune après notre mariage. Quand je t'ai épousé, tu étais un homme modeste mais gentil. Au fur et à mesure que ton compte bancaire s'alourdissait, ton cœur aussi se durcissait. Au départ, on s'aimait ! Tu as décidé que je ne te suffisais plus. Non, il te fallait une femme instruite, il te fallait une jeunette. J'ai tout supporté. Et voilà que tu me soupçonnes désormais d'avoir volé tes euros. Six millions de francs, Alhadji ! Que représentent six millions pour un milliardaire à côté de plus de vingt ans de mariage et de dévouement ? Que représentent six millions à côté des six enfants que je t'ai donnés ? Que représente cet argent à côté de ce que nous avons vécu ensemble ? Les bijoux que tu m'as offerts au cours de ces années dépassent largement ces six millions. Je te les donne mais je ne partirai pas et je n'abandonnerai pas mes enfants. »

Il ne prononce pas un mot. Je me lève et sors. Une demi-heure plus tard, alors que je dîne avec les enfants, le chauffeur entre dans mon appartement.

« Hadja, je suis de retour.

— Et alors ?

— Alhadji m'a demandé de vous dire que... que la voiture vous attend », finit-il, gêné.

J'obtempère, il en va de ma dignité ! Je ne peux pas être aussi grossièrement congédiée et rester.

Dans la voiture qui me ramène dans la concession de mon père, je réfléchis à toute allure. Mon objectif est atteint. J'ai réussi à faire répudier Ramla ! Mais je me brûle aussi les ailes. Je pars mais l'enjeu de ma répudiation est autrement plus grave. Mes enfants encore jeunes, ma famille modeste qui dépend de moi. Le chauffeur qui, depuis un moment, reste silencieux ne peut refréner plus longtemps sa curiosité :

« Que se passe-t-il, Hadja ? Vraiment, excusez-moi de la question, je ne comprends pas.

— On a volé son argent à la maison. Des euros, et il nous accuse. En vingt-deux ans, aucun franc n'a jamais disparu dans notre maison. Tu en es témoin, Bakari ! Tu es là depuis au moins dix ans.

— C'est vrai, Hadja !

— Il a fallu qu'il se marie pour que cela se produise ! Dépose-moi plutôt chez sa grande sœur. Son époux est mon oncle et c'est un ami intime d'Alhadji. C'est peut-être mieux que je me confie d'abord à lui.

— C'est une bonne idée, Hadja. Mais, je vous prie, ne lui dites pas que je vous ai laissée là-bas. Il m'a donné l'ordre de vous reconduire chez vos parents toutes les deux.

— De toute façon, la concession de mon père n'est pas éloignée de celle de mon oncle. Il pensera que je suis venue à pied. »

Tout en entrant dans la chambre de ma belle-sœur, je me jette par terre en sanglots. Je pleure sur la souffrance de ces derniers mois, je pleure sur la trahison de mon époux et sur son détachement. Il m'a répudiée juste pour de l'argent. Sa sœur, voyant mes larmes et imaginant le pire, me rejoint dans mes sanglots et m'interroge d'une voix angoissée :

« Que se passe-t-il, Safira ? C'est mon frère ? Il est mort ? C'est un des enfants ?

Que se passe-t-il ? Parle, s'il te plaît, ne me fais pas languir !

— Personne n'est mort. Sauf moi. Sauf mon cœur qui est brisé. Alhadji m'a tuée de l'intérieur.

— Que s'est-il passé de si horrible ? »

Elle se lève et baisse les rideaux pour nous dissimuler des regards inquisiteurs de ses coépouses et de leurs enfants. Elle puise de l'eau dans le *canari* à côté d'elle et me le tend :

« Tiens, bois de l'eau et rafraîchis ton cœur et ton âme. *Munyal*, patience, Safira ! Tout problème a une solution. Seule la mort est sans issue. Raconte-moi ce qui se passe.

— Alhadji m'a répudiée.

— Quoi ? Qu'est-ce que tu as fait de si grave pour qu'il te répudie ?

— Pourquoi faut-il que je fasse quelque chose ? Pourquoi faut-il que je sois automatiquement fautive ? Je n'ai rien fait de mal. Au fait, il a aussi répudié Ramla.

— Quoi ? Toutes les deux ? Mais il est devenu fou ?

— Presque. Alhadji est toujours fou de son argent. On l'a volé apparemment.

Il dit qu'il a perdu de l'argent et il nous accuse. Pourtant, tu me connais. Je n'ai jamais volé de ma vie. Il a demandé à Bakari de nous ramener chez nos parents. J'ai préféré venir d'abord ici. Après tout, oncle Sali est mon parrain ! Si mon père apprend ce qu'il s'est passé, il le prendra très mal.

— Tu as bien fait ! Tu as toujours été une femme intelligente ! Même dans la peine, tu défends la famille. Ô mon Dieu, qu'arrive-t-il à mon frère ? Quelle honte ! À défaut de te préserver, il devrait au moins protéger ses enfants et penser aussi à mon honneur ! Quelle honte pour moi devant ton oncle. Il peut m'en vouloir du comportement indigne de mon frère. Quand on a des liens aussi étroits dans une famille, on doit tenir compte de toutes les sensibilités. Ô mon frère ! Tu me tues aussi, se lamente-t-elle, joignant ses larmes aux miennes.

— Que dois-je faire, grande sœur ? Il se fait tard. Peut-être devrais-je rentrer à la maison, celle de mon père je veux dire !

— Ne bouge pas, dit-elle avec amertume. Mon frère n'a peut-être plus de *pulaaku* mais, moi, il m'en reste encore ! Je vais aller voir ton oncle et te ramener chez toi ! Chez ton mari et tes enfants. Tu as bien fait de ne pas rentrer chez tes parents. Ils seraient mortifiés par cette situation. Quelle honte ! Patience, Safira. C'est ça, le mariage. C'est ça, la polygamie. Moi-même, j'en souffre ici. Notre dernière épouse est une kleptomane ! »

Mon oncle nous a raccompagnées dans sa voiture et a longuement discuté avec Alhadji. Ma belle-sœur m'a aidée à me réinstaller dans mon appartement saccagé, scandalisée par les dégâts qu'il avait causés. Elle a rangé ce qu'elle a pu, tout en marmonnant contre son frère. Elle m'a exhortée une nouvelle fois à être patiente. Avant de partir, elle m'a conduite chez mon mari, qui était en pleine discussion avec le sien. Comme elle était plus âgée que lui, Alhadji se devait de l'écouter. Elle s'assit à même le tapis, moi à ses côtés, et dit :

« Alhadji, tu dois montrer de la patience, toi aussi. Je suis franchement scandalisée par ton attitude.

— Mais… elles m'ont volé ! Je fais ce que je peux. Toi-même, tu sais qu'elles ne manquent de rien. Elles ont trahi ma confiance.

— Tu as agi quand même avec beaucoup d'empressement. Comment as-tu pu les répudier toutes les deux ?

— Elles refusent de dire la vérité. C'est sûr que ce sont elles qui ont pris cet argent.

— Tu n'as aucune preuve ! fait remarquer mon oncle.

— Si elles sont innocentes, pourquoi refusent-elles de jurer sur le Coran ?

— Sur le Coran ? Mais tu es devenu fou, mon frère, s'écrie, horrifiée, ma belle-sœur. Comment peux-tu demander à tes épouses de poser leurs mains sur le Coran ? Ça peut décimer toute la famille. Ça peut te tuer, tuer les enfants, me tuer aussi. Ça peut attirer la destruction, des maladies horribles, la malchance ! Tu le sais bien, mon frère !

— Quand on a refusé de le faire, il a dit que c'était une preuve de notre culpabilité, dis-je durement.

— Non, mon frère ! Comment peux-tu, pour de l'argent, prendre de tels risques et t'amuser avec le Coran ?

— Même si tu as des preuves, tu n'avais pas à les répudier, ajoute mon oncle. On ne s'amuse pas avec ça. Le divorce est la chose permise la plus détestée d'Allah. Un *hadith* nous apprend que le divorce ébranle le trône d'Allah. On ne devrait avoir recours à la répudiation qu'en cas très grave. On ne doit jamais s'amuser à la prononcer. Même si vous vous réconciliez immédiatement après, ça compte quand même pour une répudiation. À la troisième, ça sera terminé. Même si vous vous aimez encore, que vous trouvez un terrain d'entente, il ne sera plus possible de reprendre. Te rends-tu compte, Alhadji Issa, que tu as déjà comptabilisé une répudiation avec chacune de tes épouses juste sur un coup de tête ?

— J'étais vraiment fou de colère. Six millions, quand même, ce n'est pas six mille francs ! Mais, dans tous les cas, je le reconnais, depuis des années que nous sommes ensemble, Safira ne m'a jamais rien volé », dit Alhadji, radouci.

Ces mots eurent le don de faire chavirer mon cœur, et j'éclatai en sanglots. Non ! Depuis toutes ces années, je n'avais jamais rien volé. Mais, cette fois, je n'étais pas innocente. Mais, plus que le besoin de posséder cet argent, le désir de me débarrasser à tout prix de ma coépouse avait été le plus fort. Ce n'était pas à la femme elle-même que j'en voulais. Non, c'était juste à la rivale. Moi non plus, je n'aimais pas celle que j'étais devenue. Mais m'en avait-on laissé le choix ? Un instant, j'ai éprouvé le besoin de tout avouer. De leur jeter à la figure toute la vérité. De leur dire mes rancœurs, de reconnaître même ces autres vols passés tous inaperçus. J'eus envie de leur raconter pourquoi j'avais eu tant besoin d'argent, leur avouer mes pratiques ésotériques. Mais un instinct de survie me cloua la bouche. Personne ne devait jamais savoir. Il y allait de mon honneur – et de mon bonheur.

Ma belle-sœur proposa d'aller chercher Ramla, et Alhadji acquiesça silencieusement. Je serrai les dents. Rien n'était encore fini. Après le départ de celle-ci, alors que j'étais toujours assise sur le tapis, il me dit gentiment :

« C'est bon, Safira. Je crois à ton innocence. Sèche tes larmes. Tu peux retourner auprès de tes enfants.

— Je t'exhorte à plus de patience, Safira, ajouta mon oncle. Les larmes ne servent à rien. *Munyal !* C'est toi la *daada-saaré*. S'il y a un problème dans la concession, tu es automatiquement éclaboussée. Patience, Safira ! La patience est un arbre dont la racine est amère mais les fruits très doux.

— C'est vrai ! Safira a toujours été patiente et bonne épouse. Ne t'afflige pas que tes affaires soient sens dessus dessous et abîmées. J'étais hors de moi. Je remplacerai tout. Va à présent ! »

La vie reprend son cours. Je profite d'un voyage à Dubaï pour discrètement me rendre chez un bijoutier et, forte de mes dix mille euros, pour remplacer mes bijoux perdus en prenant bien le soin de reprendre exactement les mêmes. Quant à l'argent restant, j'organise un voyage à Douala pour Halima afin qu'elle puisse me le changer et le mettre sur un compte bancaire. Un compte secret, cela va de soi. Je suis maintenant déterminée à avancer.

V

« Allons dans la chambre, vite ! J'ai des choses importantes à te raconter ! » fait Halima, tout excitée.

Ma confidente vient d'arriver chez moi et, à son accoutrement, je devine qu'elle rentre tout juste de voyage. Elle porte un joli pagne wax aux couleurs vives, jaune de poussière et complètement plissé. Ses traits sont tirés par la fatigue mais tout son être irradie de plaisir. D'un pas alerte, elle s'engage dans le couloir. Je referme à clé la porte de la chambre juste après elle.

« D'où sors-tu ?

— De Centrafrique, bien sûr. Je suis allée chez ma tante, Zeinabou, comme je te l'avais dit. Elle qui me vante sans cesse les marabouts de chez elle, il fallait que je vérifie. Mais je peux d'ores et déjà t'assurer qu'ils sont incroyables. Si on avait trouvé l'astuce plus tôt, je pense que ça nous aurait évité des soucis inutiles et des dépenses extravagantes.

— Ah oui ?

— Comme je te le dis, ils sont incroyables ! Je viens juste de descendre du bus et je ne suis même pas encore rentrée chez moi. J'avais trop hâte de te remettre tout ce que j'ai rapporté pour toi.

— Raconte !

— Ah, toi aussi ! Tu es trop pressée. Plus pressée qu'une pigeonne amoureuse ! C'est vrai qu'on dit que l'amour est aussi long qu'une route sans fin, aussi profond qu'un puits, aussi brûlant que le feu, aussi douloureux qu'un coup de lance ? Ça doit être ça ! ajoute-t-elle en éclatant de rire.

— Raconte vite au lieu de philosopher, je t'écoute !

— Bien, quand je suis arrivée après deux jours d'un voyage interminable, je me suis d'abord reposée quelques jours puis, Zeinabou et moi, nous sommes parties chez la personne en question.

Elle m'avait raconté qu'il y a à peine un an, son époux la méprisait terriblement. Il n'avait même plus de temps à lui consacrer et tout en elle le dégoûtait et l'agaçait. Elle avait vu plusieurs marabouts, avait fait des prières mais rien n'avait marché jusqu'à ce qu'une de ses amies, une Centrafricaine, sensible à sa détresse, lui vienne en aide. C'est elle qui l'a emmenée chez ce faiseur de miracle.

— À ce point ?

— Va voir comment à présent son mari la suit partout et lui tourne autour comme un chien fidèle.

— Non !!!

— Je suis allée là-bas. J'ai vérifié par moi-même. Et, s'il te plaît, un jour qu'elle se plaignait d'être fatiguée, il lui a même fait la cuisine. Je n'en revenais pas. Un homme empressé et aimant, oui, c'est possible ! Mais un homme qui fait la cuisine ? J'avais du mal à y croire.

— Je t'assure !

— Tu es sûre de ne pas en rajouter comme à ton habitude ?

Elle me jette un regard faussement scandalisé tout en réprimant un immense fou rire. Je continue :

— Raconte donc ! Tu es allée chez son faiseur de miracle ?

— Oui, il a fallu traverser la forêt. Une journée entière de marche dans le sous-bois. En fait, le marabout était une femme. Une vieille femme sans âge. Elle est si ridée et sèche qu'on peut penser qu'elle mourra l'instant d'après. Mais quelle bonté, quelle douceur se dégage de sa personne ! Il paraît qu'elle nous vient d'un autre monde.

— Un autre monde ?

— Un monde parallèle, si tu veux. À la fleur de l'âge, alors qu'elle était mariée et avait un enfant, elle s'est noyée au marigot et, comme on n'a pas retrouvé son corps, on en a déduit qu'un djinn l'avait enlevée. Ça arrive souvent. À la surprise générale, elle a réapparu au même endroit trente ans plus tard. Toute sa famille l'a identifiée. Elle a donc vécu chez les djinns, et elle en est revenue avec des pouvoirs extraordinaires.

— Tu crois, toi, à ce genre d'histoires ?

— Elle n'est pas la première à qui ça arrive. Tiens, Bappa Djidda. Tu sais, le voyant, à la sortie de la ville, il paraît que lui aussi a été enlevé par un djinn au Mayo Fergo. Et il a vécu longtemps chez eux. C'est de là que lui vient son pouvoir de voyance. Il paraît même que ce *mayo*, habité par des esprits, emporte chaque année un ou plusieurs enfants. Tu le sais, non ?

— Oui, c'est vrai. On en parle. Et donc tu as pu la rencontrer ?

— Si tu voyais où elle habite ! En pleine forêt équatoriale mais des centaines de personnes viennent la consulter, attendant longuement, souvent des semaines voire des mois avant d'être reçues. Moi, j'ai eu de la chance ! Elle a compris que je venais de très loin et m'a prise immédiatement en consultation.

— Alors ?

— Dans son antre, des voix étranges résonnent, qu'elle est la seule à pouvoir interpréter. J'en avais la chair de poule. Elle m'a donné plein de choses pour toi. Elle a vu que tu traversais une mauvaise passe. Elle a deviné que la mère de ta coépouse t'a jeté des sorts. Elle m'a donné des remèdes avec lesquels tu dois te laver mais le plus important, c'est qu'elle m'a soufflé au dernier moment un secret. Le secret des femmes, m'at-elle confié. De ceux qu'on ne donne qu'à ses amies les plus chères. Elle a décidé de m'en faire cadeau car, a-t-elle dit, mon cœur est pur et notre amitié solide, ce qui est rare. Bref, tu as de la chance de m'avoir !

— Arrête de te vanter et partage vite avec moi ce grand secret. Tu me fais languir. »

Un espoir inouï me submerge. Peutêtre aurait-elle finalement trouvé ce qu'il me fallait pour retrouver ma sérénité ?

« Elle m'a confié qu'après tout ce que tu auras fait pour te purifier, tu devras désormais appliquer le secret des *femmes*. Celui qui attache à jamais l'homme à toi.

— C'est quoi alors ce secret ?

— J'y viens. Tu dois, à chaque fois que tu t'uniras à lui, t'arranger pour recueillir l'eau de ta toilette intime. Cette eau contient ainsi, intimement mélangées, vos deux sécrétions. Si tu lui fais boire de cette eau dans laquelle aura macéré une certaine écorce, il s'attachera définitivement à toi. Il n'aura plus jamais envie d'une autre femme. Même pour honorer ta coépouse, il devra penser à toi avant de pouvoir le faire. S'il y arrive ! Et, même si vous n'avez pas eu de contacts, même si tu n'as plus d'écorce, fais-lui quand même boire l'eau de ta toilette intime. Tout le temps !

— Hein ? Ce n'est pas bien de faire ça !

— Ah bon ? Ok ! Ne fais rien, alors ! Madame a des scrupules, fait-elle, sévèrement. Mais ne viens plus te plaindre après !

— Humm... C'est vrai que je n'ai pas non plus le choix !

— Je te conseille de commencer dès ce soir. Dans sa sauce, son thé, son eau. Dans tout ce qui entrera dans sa bouche.

— Le problème, c'est qu'il mange toujours avec des gens, il boit la même eau qu'eux, le même thé...

— Et alors ? Tant pis pour eux. Ces gens boiront ce que tu sais. Peut-être qu'à la fin, ils tomberont tous amoureux de toi ! ajoute-t-elle, complice.

— C'est ça. Ou peut-être qu'ils seront encore plus amoureux de lui puisqu'ils boiront de lui aussi !

— On s'en fout ! Ça leur apprendra à venir toujours partager les repas des riches. Ils seraient restés chez eux pour faire honneur au plat du pauvre, le *bôk'ko* de leurs épouses, qu'ils en seraient épargnés. Ils n'ont pas honte d'abandonner femmes et enfants mal nourris pour déguster sans pudeur des mets savoureux, pendant que leurs rejetons croupissent dans la misère. Ils n'auront que ce qu'ils méritent.

— Tu es sévère, toi aussi !

— Continue de croire que je suis sévère. Tiens, on m'a raconté l'autre jour une anecdote sur ces *souka*, ces hommes de main des Alhadji. Un jour, lors d'une veillée traditionnelle, un des richissimes Alhadji rapporta en riant qu'il avait appris qu'un de ses voisins était enceinte. Tout le monde acquiesça, donnant du crédit aux propos d'Alhadji, sauf l'un d'eux qui fit remarquer qu'un homme ne pouvait être enceinte et, par conséquent, cette information devait être fausse. Alhadji se sentit froissé et chassa l'impertinent. Ce dernier rentra chez lui mais, quand la misère se fit oppressante, il revint un soir dans la cour d'Alhadji et lui affirma le plus sérieusement du monde : "Alhadji, c'est incroyable, tu avais raison. Le voisin que tu disais *enceinte* a accouché aujourd'hui." Et c'est ainsi qu'il regagna la faveur de son maître qui l'admit de nouveau dans son *zawlerou*. J'étais morte de rire en entendant cette histoire qui me fait penser aux parasites qui s'invitent chez vous.

— Halima ! Tu exagères !

— Comment ça, j'exagère ? Bref, on s'en fiche que ces gens te boivent aussi. Fais-le dès ce soir. Moi, je suis déjà partie. Il faut que je rentre chez moi. Et compte sur moi pour appliquer le même traitement à mon mari. Safira, je t'en conjure, ne néglige pas ce que je viens de te dire.

— Bien sûr que je ne le négligerai pas !

— J'ai souffert deux semaines pour ça. T'imagines : je me suis fait piquer par des insectes, même par un scorpion. Je suis couverte de vermines tellement j'ai marché dans la forêt. Et puis j'ai fait

des centaines et des centaines de kilo-
mètres !

— Je ne te remercierai jamais assez. Sois
tranquille, je ferai tout. Je te promets. »

VI

J'étais résolue à réussir cette fois. Il
fallait que je réussisse à faire partir
ma coépouse. Mais, bien plus, je tenais
désormais à être une femme instruite
– comme elle ! J'avais supplié Alhadji
de me laisser suivre des cours d'alpha-
bétisation, et il avait accepté, quoique
moqueur. Une institutrice venait régulièrement à la maison me donner des
leçons quelques heures par semaine. Je
me montrais assidue et persévérante.
Chaque fois que je prenais congé de mon
professeur, je m'appliquais pendant des
heures à écrire et à essayer de déchiffrer.
Mes enfants, amusés mais solidaires et
fiers, m'aidaient autant que possible. Au
fil des mois, je progressais. Je pouvais

maintenant lire et écrire. Je pouvais utiliser mon téléphone et envoyer des messages. Tous ces progrès me galvanisaient. Quand Ramla émit l'idée d'apprendre à conduire, je sautai sur l'occasion et me joignis à elle. Alhadji avait fini par accepter à la condition que nos permis de conduire ne nous soient utiles qu'en cas d'urgence. Car il était de la responsabilité, comme toujours, de notre chauffeur de nous conduire.

Même si je n'avais pas de problème particulier avec Ramla, je continuais de la détester, j'étais obsédée par le désir de son départ. Une coépouse reste une coépouse même si elle est gentille et respectueuse. Une coépouse n'est pas une amie – et encore moins une sœur. Les sourires d'une coépouse ne sont que pure hypocrisie. Son amitié ne sert qu'à vous endormir afin de mieux vous terrasser. Je restais sur mes gardes. Et je continuais à lui lancer des sorts. Mais je faisais aussi tout ce que je trouvais utile pour retrouver mon époux rien que pour moi. En plus du « secret des femmes » confié par Halima, je versais régulièrement des aphrodisiaques dans son thé pendant mon *defande* et je diluais des somnifères dans les bouteilles d'eau de son réfrigérateur au début du *defande* de Ramla. Doucement mais sûrement, notre relation intime évoluait dans le bon sens. Dans le secret de ma chambre, je regardais des films érotiques et, discrètement, me faisais plus langoureuse et plus aventureuse. Je n'hésitais pas à acheter divers onguents de jeunesse venus du Nigéria ou du Tchad et vendus par des femmes discrètement de maisons en maisons. Je cherchais aussi toutes les herbes et les *gaadé* de charme destinés à raviver son désir.

Et, du désir, il en avait à revendre ! Chaque soir de mon *walaande*, j'écrasais discrètement des comprimés de Viagra dans son verre. Il fallait que je l'abandonne épuisé pour être sûre qu'il ne ferait rien le lendemain pour le *walaande* de Ramla. L'air de rien, je me révélais une adversaire redoutable et utilisais parfois mes enfants et les domestiques pour arriver à mes fins. Je n'arrêtais pas de monter des coups contre Ramla. Et tout y passait ! Je faisais verser des grains de sable sur ses

261

grillades et dans sa farine destinée au couscous. Je rajoutais du sel dans sa sauce. Je glissais discrètement encore du sable mais sous les draps dans le lit conjugal au sortir de mon *waalande*. Je dissimulais savon et papier hygiénique, salissais les serviettes, et Alhadji se plaignait, tempêtait et s'énervait contre Ramla sans qu'elle puisse se justifier. Elle cuisinait ses repas tranquillement dans la cuisine et je ne m'y rendais jamais quand elle y était pour qu'elle ne puisse pas me soupçonner. Bien entendu, les soirs où sa nourriture était immangeable, Alhadji savait qu'il pouvait toujours venir dans mon appartement et pouvait s'y faire servir du poulet et des pâtisseries. C'était alors l'occasion pour mes enfants d'entrer en liesse, de lui raconter mille et une anecdotes pendant que ma coépouse se consumait dans l'attente. J'offrais argent et cadeaux de toutes sortes aux domestiques pour me les fidéliser. J'avais aussi fini par soudoyer quelques-uns des hommes de confiance d'Alhadji afin qu'ils se rangent de mon côté et se liguent sournoisement contre Ramla.

Telle une araignée, je tissais inexorablement ma toile autour de mon innocente coépouse. Elle tombait toujours dans mes pièges habilement tendus et se faisait réprimander par Alhadji. Je le connaissais parfaitement et tirais sur sa corde sensible, sachant exactement ce qui le mettrait hors de lui. Du coup, il n'arrêtait pas de l'insulter. Parfois, je volais timidement à sa rescousse. Mais je gagnais du terrain. L'harmonie de leur relation s'évanouissait à mesure que ma connivence s'intensifiait avec lui. Je me faisais belle, m'offrais de nouveaux pagnes. Je devenais hardie dans le choix de mes sous-vêtements. Sensuelle, je n'hésitais même plus à arborer des colliers de reins en perles. J'achetais des chemises de nuit de plus en plus osées et, à ma grande surprise, tout cela plaisait à mon mari. Je rajoutais discrètement des mèches ou des extensions capillaires à mes tresses régulièrement renouvelées. J'investissais également dans les crèmes de toilette et les savons de luxe, n'hésitant pas à utiliser tous les nouveaux produits éclaircissants pour réussir à rendre ma peau

263

déjà claire aussi blanche que celle de Ramla. Je me procurais les encens les plus forts et les parfums les plus précieux. La plante de mes pieds et mes ongles étaient toujours noircis au henné. Et mes tatouages étaient renouvelés régulièrement avec des motifs différents à chaque fois. J'osais des dessins aux endroits les plus insolites. Le creux des reins, le haut de la cuisse ou même la rondeur du sein. Coquine, je me faisais écrire ses initiales, flattant son ego surdimensionné.

Pendant mon *defande*, je faisais nettoyer à fond son appartement, mettant de nouveaux draps en soie ou en coton fin. Je lui préparais des bains parfumés, et je n'hésitais plus à le suivre jusque dans la salle de bains pour bavarder gaiement et le frotter d'une éponge douce. À la sortie du bain, je l'essuyais comme un enfant et le massais longuement d'une huile différente chaque soir. Toutes ces attentions lui plaisaient, et il me le faisait savoir. Au sortir de mon *defande*, j'enlevais mes beaux draps et laissais ceux qui étaient déjà là. Je versais discrètement de l'urine dans les recoins, laissant traîner des effluves nauséabondes pour incommoder les sens d'Alhadji. Je voulais qu'il se rappelle de mon *defande*, qu'il en éprouve la nostalgie et regrette mon absence provisoire.

Ramla devenait de plus en plus triste et de plus en plus terne. Elle ne faisait plus le moindre effort et, plus elle se laissait aller, plus elle agaçait son époux. Je sentais le duel arriver à sa fin, et je savourais à l'avance ma victoire imminente.

Par mon frère, j'ai fait acheter plusieurs puces de téléphone sans laisser d'identification. Car je compte abattre ma dernière carte. Lui donner le coup de grâce ! J'ai commencé depuis un certain temps à instiller dans la tête d'Alhadji, l'idée que Ramla pouvait avoir une liaison. Mes complices y font aussi allusion, et il a commencé à se méfier et à surveiller de près son épouse. Je décide donc de passer à l'action à la fin du *defande* de ma coépouse.

À minuit, je mets une nouvelle puce et téléphone à Ramla. Quand elle décroche, je ne dis rien. J'entends Alhadji lui demander de qui il s'agit. J'ai réussi à gâcher son *walaande* et je me réjouis d'entendre Alhadji gronder. Et, à partir de là, je n'arrête plus de l'appeler pendant ses *defande*. Alhadji en est de plus en plus excédé. Et, quand elle crie au complot, on la regarde tous ironiquement.

Un soir, Alhadji est à bout. Il accuse Ramla d'avoir un amant mais elle nie en pleurant comme d'habitude. Alhadji a déjà passé une mauvaise journée au marché et n'a donc pas besoin de prétexte pour se défouler. En rage, il se met à la battre violemment, lui demandant d'avouer immédiatement. Elle crie, pleure et jure qu'elle est innocente. Exaspéré, il sort par-dessous le canapé un long couteau et le lui met sous la gorge, en la menaçant :

« Écoute-moi bien, petite pute, tu vas avouer maintenant. Qui est cet homme qui t'appelle ? Vous vous moquez de moi, n'est-ce pas ? C'est le petit voyou qui voulait t'épouser, c'est ça ? Si tu ne me dis pas la vérité, je vais t'égorger et, crois-moi, ça ne me mènera même pas en prison. Dans ce pays, les riches ont toujours raison. Tu vas avouer, oui ! »

Clouée de terreur, la jeune femme bredouille :

« Je te jure que je ne te trompe pas. Je te le jure sur le Coran. »

Il crie tellement fort que toute la maisonnée entend et retient son souffle. Je sens que, cette fois, je suis allée trop loin. S'il la tue, jamais je ne pourrai lui survivre. La culpabilité me fait sortir en trombe de mon appartement. Harouna, l'un de ses hommes de main qui vit là, s'est également levé et tourne en rond devant la véranda, désemparé. Me voir apparaître semble le soulager.

« Hadja, il va la tuer si on n'intervient pas ! »

J'entre par la porte arrière sans m'annoncer, suivi de Harouna. Mon cœur bat à tout rompre, je tremble de frayeur. La voix angoissée de Ramla nous parvient alors qu'une goutte de sang perle à son cou :

« Je jure sur le Coran. Apporte-le si tu veux et je le toucherai.

— Tu vas toucher le Coran et jurer ? Sinon je te tue. »

Je l'interromps alors qu'il prend le Coran sur une étagère.

« Alhadji, tu ne vas pas faire ça !

— Tu entres dans cette histoire et je te tue avec elle ! » fait-il rageusement, retournant la lame contre moi.

Me tenant en respect, il se tourne à nouveau vers Ramla, lui tend le Livre :

« Tiens, jure !

— Je le jure au nom d'Allah et de son Prophète que je ne t'ai jamais trompé, dit Ramla tremblante, une main posée sur le Coran.

— Va plus loin que ça, ajoute Alhadji, les yeux injectés de sang. Jure que non seulement tu ne l'as pas fait mais aussi que tu ne le feras jamais.

— Je jure que je ne te tromperai jamais... tant que je serai ton épouse, ajoute au dernier moment Ramla, une main posée sur le Livre sacré. »

Harouna qui, depuis son entrée, est resté silencieux, s'approche :

« Alhadji, elle a juré. Laisse-la maintenant. Quand quelqu'un jure sur le Coran, il n'y a plus rien à ajouter. Laisse-la avec Allah. Même si tu l'avais attrapée en flagrant délit, tu ne peux plus rien lui dire et tu dois la croire sur parole. »

Et, pleine de compassion devant Ramla qui frissonne et claque des dents, j'ajoute :

« Oui, Alhadji, permets-lui de rentrer dans son appartement ce soir. »

Il jette son couteau et se laisse tomber sur le fauteuil le plus proche. Harouna confisque l'arme et la remet dans son foureau puis, sans rien ajouter, s'en va, nous laissant seuls. C'est à ce moment que je remarque le sang qui coule abondamment sous le pagne de Ramla. Épouvantée, je me mets à crier :

« Ramla, tu es blessée ? Tu saignes ! Oh, mon Dieu, Ramla, tu saignes ! »

Une mare de sang se forme déjà sous ses pieds sans que la jeune femme réagisse. Elle grelotte toujours, fébrile. Alhadji la regarde froidement et fait rageusement :

« Tu es en train de tacher le tapis et tu as bousillé le fauteuil qui coûte une fortune. Imbécile ! C'est quoi ? Tes règles ? Lève-toi immédiatement, va-t'en !

— Je n'arrive pas, souffle Ramla, affolée. Je n'y arrive pas, Safira !

— Tu salis le salon ! N'importe quoi ! ajoute Alhadji de plus en plus énervé. Quelle misère, cette fille !

— Ça va, Alhadji. Ne t'inquiète pas. On va nettoyer, dis-je pour gagner du temps, le voyant de plus en plus en colère. Ramla, lève-toi ! »

Et je la soulève sans effort.

Nous avons passé la nuit à l'hôpital. J'ai veillé sur Ramla avant que sa mère me relaie le lendemain. L'émotion et la terreur avaient provoqué une fausse couche. Au petit matin, la douleur qui l'avait terrassée s'était un peu calmée, et elle s'assit péniblement sur son lit. Je ne dormais pas, rongée de culpabilité. J'étais enceinte et Ramla, que je n'avais pas soupçonnée de l'être aussi, venait de perdre son bébé à cause de moi. Je me sentais terriblement coupable.

J'étais allée trop loin dans mes provocations. Ramla me demanda, d'une voix à peine audible, de l'eau et je m'empressai de la lui servir. Un calme trompeur régnait dans cette partie de l'hôpital réservée aux chambres individuelles de luxe. Je lui soufflai d'une voix triste :

« Je suis désolée que tu aies perdu ton bébé. Ne t'inquiète pas, tu en auras rapidement un autre.

— Qui te dit que j'en veux un ? Ce n'est pas la peine de jouer encore la comédie, Safira ! Nous sommes seules. Un peu de sincérité entre nous pour une fois. Je te remercie de m'avoir aidée ce soir mais je sais que tu me détestes. Je sais que tu as fait plein de choses pour me nuire. Je suis au courant de toutes tes manigances. Pourquoi ? Je ne t'ai jamais rien fait. J'ai essayé de te respecter, d'être ton amie. Pourquoi ?

— Mais ce n'est pas toi que je déteste, Ramla ! dis-je franchement. C'est juste l'épouse de mon mari que je hais. C'est juste la polygamie que je...

— Mais je n'ai pas demandé à être ta coépouse !

— En acceptant d'être son épouse, tu as accepté d'être ma rivale.

— Qui te dit que j'ai voulu être son épouse ?

— Comment ça ? J'ai entendu tellement de choses à ton propos. On m'a même dit que tu projetais de prendre ma place. Que tu étais contente d'avoir réussi après toutes ces années à l'embobiner et à le convaincre de t'épouser, lui qui était toujours resté monogame !

— On t'a dit beaucoup de choses, sauf la vérité ! Tu en es bien loin...

— Comment ça ?

— Je vais te confier un secret au risque que tu l'utilises après contre moi. Je ne voulais pas l'épouser.

— Refuser un homme comme lui ?

— Je préférais épouser mon fiancé. Le premier qui a obtenu ma main et que j'aimais. On avait des rêves – des projets d'avenir.

— Tu avais un amoureux ?

— Tu vois ! Comme toi, j'ai eu le cœur brisé le jour de ce mariage. Comme toi, je ne suis qu'une victime. Je ne suis qu'un caprice pour lui. À peine m'a-t-il aperçue qu'il a décidé que je lui appartiendrais, peu importe ce que j'en pensais. Mes parents non plus n'ont pas tenu compte de mes sentiments et n'ont pas entendu ma détresse. Je n'ai pas choisi d'être ta rivale ou de te prendre ton époux.

— Je ne savais pas. J'en suis désolée. Mais tu sais, tu es encore jeune et...

— Je ne suis plus jeune. On m'a volé ma jeunesse. On m'a volé mon innocence.

— À moi aussi.

Un silence lourd s'installe, chacune rumine ses rancœurs. Pour la première fois, ma coépouse m'a ouvert son cœur et je découvre une jeune femme sincère et blessée. Je brise le silence.

— Je me suis trompée, Ramla. Pardonne-moi !

— Ce n'est pas grave.

— Je te jure que je n'en parlerai jamais à quiconque et surtout pas à Alhadji.

— Maintenant, je m'en fiche. Je n'ai de toute façon aucune envie d'être ici.

— Ne dis pas ça. Alhadji n'est pas méchant comme tu le crois. Il faut juste savoir le prendre.

— Dans quel intérêt ? Il n'est pas méchant ? Avec toi peut-être. Tu l'aimes. Tu as des enfants, tu peux bien le supporter... »

L'entrée fracassante de sa mère et de sa tante coupe nette la conversation. Quand elles demandent ce qui lui est arrivé, Ramla répond qu'elle est tombée dans les escaliers et a ainsi perdu son enfant. Le coup d'œil qu'elle me lance me dissuade d'en dire plus. Je confirme en hochant la tête et reçois en silence les remerciements chaleureux de sa mère pour mon aide.

Pendant le séjour de Ramla à l'hôpital, Alhadji ne lui rendit pas visite. À son retour à la maison, il l'ignora complètement. Pendant les quarante jours que devait durer sa convalescence, il ne daigna pas franchir la porte de son appartement. Pendant cette période, je n'avais plus à partager mon époux, comme si son mariage n'avait été qu'une parenthèse. Mais Ramla était encore là. Après sa convalescence, elle reprit son *defande*. Son oncle Hayatou avait exhorté Alhadji à plus de patience, exigeant de sa nièce plus de tenue dans son foyer, puis il formula le vœu que tout ceci ne se reproduise plus.

VII

« Elle est partie !

— Quoi ?

— Cette nuit, continue d'une voix excitée ma servante. Il paraît qu'elle a trompé la vigilance des gardiens dans la nuit. »

Je suis en train de prendre mon petit déjeuner. C'était mon *defande*, et j'ai passé une nuit presque blanche. Médusée, je regarde la jeune fille, n'arrivant pas à croire à cette nouvelle qui marque la fin de mon obsession. Mon cœur s'emballe.

« Elle s'est enfuie dans la nuit, laissant toutes ses affaires, continue la jeune fille. On dit qu'elle a aussi laissé une lettre à Alhadji.

— Tu es sûre de ce que tu racontes ? Qui t'en a informée ?

— Elle est vraiment partie, Hadja. Et Alhadji est hors de lui ! Il a chassé les deux gardiens de nuit. L'un d'eux, c'est mon cousin. »

Ramla était partie, comme je l'avais tant souhaité. Alors pourquoi ce pincement au cœur ? Pourquoi cette envie subite de pleurer ? Pourquoi ce sentiment d'avoir perdu un proche ? J'avais pourtant tout fait pour qu'elle parte. Et, à présent qu'elle avait osé, le désenchantement et l'accablement me submergent. Je ne réponds pas à la servante. Telle une automate, j'abandonne mon repas et me dirige vers l'appartement de Ramla. Je dois constater par moi-même l'absence de ma coépouse. Rien n'a bougé chez elle. Le salon est toujours aussi impeccable. Elle n'a rien pris, n'a pas déplacé le moindre meuble. Seuls manquent quelques vêtements dans la penderie. Tout est en ordre. Les flacons de parfum, les magazines féminins qu'elle adorait lire, ses CD, tout y est, à l'exception de son ordinateur.

Depuis quand a-t-elle pris sa décision ?
Où est-elle partie ?

Je me souviens qu'hier, elle est venue passer un long moment avec moi dans la soirée. Rien dans son comportement ne trahissait ses intentions. Rien ne laissait soupçonner sa détermination. Depuis son accident et nos confidences à l'hôpital, une amitié était née entre nous.

Alhadji, seul dans son salon, sirote son thé en jouant avec sa télécommande et zappe d'une chaîne à l'autre. Il lève à peine les yeux quand j'entre. Je m'assieds plus loin et attends. Il continue à m'ignorer, le visage froid.

Je finis par briser le silence :

« Il paraît que Ramla est partie.

— Je suis au courant.

— Où est-elle allée ?

— En enfer, j'espère ! répond-il, impassible, les yeux rivés sur l'écran.

— Peut-être qu'elle boude tout simplement. Elle est sans doute rentrée chez ses parents ou s'est réfugiée chez une amie. Vous vous êtes encore disputés ?

J'espère vivement que c'est le cas et que tout va s'arranger. Il lève enfin les yeux sur moi et demande sévèrement :

— De quoi tu te mêles, Safira ? Tu devrais être plutôt contente, non ? Ta coépouse est partie. Te revoilà seule. Alors arrête de m'embêter avec ça !

— Je ne veux pas qu'elle parte. Pardonne-lui, Alhadji ! Comprends qu'elle est encore jeune et immature. Il faut la chercher. Elle n'est certainement pas loin !

— Ce n'est pas ta femme ! C'est la mienne, jusqu'à preuve du contraire. C'est à moi qu'appartiennent les décisions. Tu me connais mal si tu penses qu'elle reviendra encore. Si mon épouse quitte ma maison, elle n'a plus aucune chance d'y remettre les pieds. Mais ne te réjouis pas trop. Une autre la remplacera rapidement », ajoute-t-il méchamment pour me blesser.

J'ignore sa dernière réplique et je pense à Ramla, que j'ai tellement tourmentée. Son absence me pèse déjà.

« Accorde-lui juste une dernière chance. C'est une gentille fille.

— Reste à ta place. Tu n'es rien d'autre qu'une épouse. Ce n'est pas à toi de défendre tes coépouses. Garde ta place si tu ne veux pas la perdre aussi !

— J'aime Ramla.

— C'est à moi de l'aimer et non à toi. Voilà une preuve de plus qu'elle n'en vaut pas la peine. Si elle avait été à la hauteur, sa coépouse ne l'aimerait certainement pas. »

Sans plus m'accorder un regard, il prend son téléphone, appelle son secrétaire et ordonne fermement :

« Bachirou, tu es au bureau ? J'arrive dans quelques minutes. Prends note. Prépare-moi immédiatement une lettre de répudiation pour ma deuxième épouse Ramla, fille d'Alhadji Boubakari. Adresse la lettre à son père. Dis-lui que je rends sa liberté à sa fille qui est partie d'elle-même. Je la répudie. Adresse-lui mes regrets mais fais-lui comprendre que c'est le destin et la volonté d'Allah Tout-Puissant. Rassure-le sur ma considération et sur mon amitié. Remercie-le de m'avoir donné sa fille. Demande-lui d'envoyer ses gens vider l'appartement de Ramla dès ce soir. Prépare cette lettre tout de suite. Je viendrai la signer et tu iras la remettre avec Bakari comme second témoin. »

Pendant qu'il dicte sa lettre de répudiation, mes yeux s'emplissent de larmes. Sans plus un regard pour moi, il appelle son chauffeur et sort d'un pas nonchalant.

Ramla était partie avant l'aube. Elle avait affronté les dangers de la nuit et s'était évanouie dans la nature. Plusieurs rumeurs ont alimenté sa fuite au cours des semaines qui ont suivi. Il paraît qu'elle entretenait, depuis des mois, des liens étroits via internet avec son frère Amadou, qui travaillait depuis un moment à la capitale ainsi qu'avec son ancien fiancé. Elle aurait aussi suivi en cachette des cours par correspondance. Elle avait emporté ses bijoux en or et se trouverait à présent à Yaoundé chez son frère.

À chaque nouvelle rumeur, la colère d'Alhadji reprenait. Mais il se réjouissait de s'être débarrassé d'une aussi mauvaise épouse. Je traînais ma tristesse et ma culpabilité. En même temps, je profitais enfin de mon honneur retrouvé.

Je m'étais battue et j'avais gagné. Du moins, cette bataille-là. Elle me redonnait confiance en moi et de l'espoir pour l'avenir. J'avais fait l'expérience de la polygamie et m'en étais sortie la tête haute. Je n'avais plus peur qu'il se remarie. Ce qui me faisait tellement de la peine, il y a quelques années, devenait désormais un fait banal. Juste une parenthèse dans le cours de ma vie conjugale, de ma vie tout court. J'étais persuadée que les mêmes scénarios se répéteraient à l'infini. Il se remarierait, m'ignorerait les premiers temps. Je n'aurais qu'à prendre mon mal en patience et attendre la fin de la lune de miel. Après l'attrait du changement, la nouvelle venue perdrait tout intérêt pour lui. Je ferais tout pour cela. Il finirait alors par me revenir, du moins jusqu'à la prochaine fois. Je ne restais pas que par amour mais pour protéger mes enfants et être à l'abri du besoin. C'était suffisant pour que je défende farouchement ma place.

Alhadji a fait repeindre l'appartement de Ramla. Il s'empresse auprès des ouvriers, donnant des ordres pour tout, les faisant recommencer s'il n'est pas satisfait. Je connais déjà cette expression de contentement sur son visage. Je sais ce que signifie son indifférence à mon égard, son empressement au moindre coup de fil, sa méfiance en ma présence, ses mots de plus en plus blessants. Je remarque sa nouvelle vigueur, sa détermination. Alhadji est en train de se remarier et, comme la dernière fois, ce seront les rumeurs qui me mettront au courant. C'est par elles que je saurai la date du mariage, le nom de la promise, sa famille, son statut social. Mais, contrairement à la première fois, je garde mon calme. Oui, elle viendra mais combien de temps restera-t-elle ? Combien de temps tiendra-t-elle ? Je suis à présent sûre de moi et de ma place. Je ne laisserai jamais personne la prendre. Je reste sereine. Peu importe l'épouse qui viendra, je lutterai. Peu importe ses armes, je gagnerai encore la bataille. Le sentiment de culpabilité au départ de Ramla n'a pas résisté longtemps à ma joie de prendre ma revanche face à ceux qui étaient tellement contents du statut de polygame qu'Alhadji avait endossé. Si son mariage avec Ramla m'avait fait perdre la face, tout autre mariage ne serait plus que l'ombre du précédent.

Quoi qu'il arrive, je suis la *daada-saaré*. Personne ne pourra jamais me remplacer. Ce soir, je me suis parée comme une mariée. J'ai refait mes tatouages au henné et réclamé les arabesques les plus extravagantes. Je me suis vêtue de parures en or et de pagnes de soie fine. La journée a été festive. J'ai bavardé et ri avec mes amies, échangé un coup d'œil complice avec ma belle-sœur et ma mère, j'ai aussi déjà envoyé mon frère et Halima chez mes marabouts préférés. Des herbes, des *gaadé*, des élixirs d'amour reposent secrètement sur la plus haute étagère de ma penderie. Avec un sourire, j'entends une fois de plus les femmes de la famille rabâcher à mon intention les conseils d'usage, face à une nouvelle mariée plus effrontée que la précédente et qui me lance déjà des coups d'œil intempestifs.

« Elle est ta sœur, ta cadette, ta fille. À toi de l'éduquer, de lui donner des conseils. C'est toi, la *daada-saaré*, la pièce-maîtresse de la maison. Safira ! Tu resteras la *daada-saaré*, *jiddere-saaré*. Et n'oublie pas : *munyal*, patience ! »

Le projet de publication de ce roman en France a été porté par Catherine Roger et Françoise Fernandes de la Fondation Orange. C'est à elles que vont d'abord mes remerciements pour leur enthousiasme et pour leur sollicitude.

J'exprime également ma profonde gratitude à Emmanuelle Collas, qui m'a accueillie dans son catalogue et m'a chaleureusement accompagnée dans l'élaboration de cette toute nouvelle édition.

Merci aussi à Sophie Bagur, France et Justine Collas ainsi qu'Estelle Roche.

Je suis reconnaissante à François Nkémé d'avoir facilité la concrétisation de ce projet.

Enfin, tous mes remerciements vont à mon époux, Hamadou Baba, qui n'a jamais cessé de m'encourager dans mes projets d'écriture et dont le précieux soutien a accompagné la gestation de ce roman.

13097

Composition
NORD COMPO

Achevé d'imprimer à Barcelone
par CPI Black Print
le 8 mars 2022

Dépôt légal : décembre 2021.
EAN 9782290252949
OTP L21EPLN002978A002

ÉDITIONS J'AI LU
87, quai Panhard-et-Levassor, 75013 Paris

Diffusion France et étranger : Flammarion